Le Grand Livre des activités nature

FLEURUS

Textes : Bénédicte Boudassou, Delphine Godard et Frédéric Lavabre
Illustrations : Laurent Audouin, Emmanuel Cerisier et Thierry Deletraz
Illustration de couverture : Antoine Deprez
Direction artistique et conception graphique : Pascaline Charrier pour Sarbacane
Packaging éditorial et graphique : Delphine Godard et Pascaline Charrier pour Sarbacane
Couverture : Xavier Vaidis

Direction éditoriale : Christophe Savouré
Direction du développement : Nicolas Ragonneau
Fabrication : Catherine Maestrati

Photogravure : Édilog
Achevé d'imprimer sur les presses de l'imprimerie HIMMER (Allemagne).
Relié par la SIRC (France).
Loi n° 49-956 du 16 juillet 1949 sur les publications destinées à la jeunesse.

Le Grand Livre des activités nature

Sommaire

Chapitre 1 : Camper

Chapitre 2 : Observer

Chapitre 3 : Comprendre

CHAPiTRE 1
Camper

Tu t'apprêtes à partir pour quelques jours en randonnée.
Voici plein de conseils et astuces pour bien préparer
ton escapade : ce qu'il faut mettre dans ton sac,
quelle trousse à pharmacie emporter, quelle tente choisir,
quelles chaussures mettre aux pieds, etc.

Puis te voilà sur les chemins. Apprends à lire une carte,
à marcher sans te fatiguer, à soigner tes pieds endoloris,
à t'abriter si besoin et à bien installer ton campement.

Enfin, de retour chez toi, n'oublie pas de vérifier
tout ton matériel et de noter tout ce que tu as vu,
en attendant... la prochaine randonnée !

Règles et astuces

Que tu partes juste pour la journée ou pour plus longtemps, tu dois respecter certaines règles, comme tout le monde ! Les connaître t'aidera à mieux choisir ton parcours. Adopte aussi quelques astuces qui rendront ton escapade plus agréable.

Les règles

A-t-on le droit de camper partout ?

➜ Le camping sauvage est autorisé sauf dans certains lieux que l'on risque de dégrader, comme les forêts, les parcs publics, les sites classés et les zones de protection autour des monuments historiques. Tu peux t'installer dans des endroits publics, mais dans les domaines privés, tu dois demander une autorisation aux propriétaires. Dans certaines communes, le camping est interdit sur tout le territoire par décret du maire. Cela est indiqué à l'entrée de la ville.

➜ Le camping à la ferme est une bonne solution pour découvrir les activités de la ferme et les produits du terroir. Tu auras en plus des sanitaires à ta disposition.

➜ Tu peux aussi dormir dans les refuges et hébergements collectifs si tu as réservé ta place à l'avance.

Faire du feu

➜ Il y a des endroits où l'on n'a pas le droit de faire du feu. Par exemple en forêt, ou dans une lande de bruyères. Regarde si tu vois des panneaux interdisant d'allumer un feu. S'il n'y en a pas, observe les lieux et demande-toi : « Est-ce dangereux de faire un feu ici ? »

Ramasser ses déchets

Le respect des lieux où l'on passe équivaut à respecter la nature
et les autres randonneurs, ainsi qu'à préserver la planète ! C'est donc
une règle fondamentale. Quand il n'y a pas de poubelle publique
à proximité, garde tes déchets avec toi et jette-les dans la première
benne que tu vois. Si tu n'en trouves pas, rapporte les déchets chez toi,
c'est encore mieux que de les laisser sur place n'importe où.

Les astuces

Le poids du sac à dos

→ Le sac à dos doit au maximum peser un quart du poids de la personne
qui le porte. Pèse ton sac à dos sur la balance avant de partir. Si tu l'as trop
chargé, trie mieux tes affaires et ne garde que l'essentiel.

Le temps qu'il fait

Avant de partir, il est important de consulter la météo ! Tu n'emporteras pas
les mêmes affaires s'il risque de pleuvoir à torrent ou si c'est le grand beau
temps assuré.

Lutter contre le froid

→ Le choix d'un sac de couchage avec capuche évite que la chaleur ne
s'échappe par la tête.

→ Emporter des chaussettes chaudes et un lainage est une sage précaution,
pour les enfiler par-dessus ton pyjama si les nuits sont très fraîches.

Ouvrir les boîtes

→ En camping, il est conseillé de prévoir quelques boîtes de conserve.
Sans oublier bien sûr d'emporter aussi un ouvre-boîte ! Si ton couteau
multifonctions en comprend un, l'affaire est réglée.

→ Mais si ce n'est pas le cas et que tu as aussi oublié l'ouvre-boîte, tu
pourras prendre ton couteau et placer la pointe de la lame sur le rebord.
Tape ensuite un coup sec avec une pierre ou ton maillet. Petit à petit
tu arriveras ainsi à ouvrir la boîte.

Prépare ton sac pour la journée

Tu es très impatient de partir. Mais pour réussir ta journée de randonnée, pense à bien préparer ton sac avec tout le matériel dont tu peux avoir besoin.

Que faut-il emporter ?

– un **crayon** et un **carnet** pour tout noter, faire des dessins et rapporter des souvenirs de ta journée

– une **loupe** et des **jumelles** pour l'observation des insectes, des mousses, des écorces, des oiseaux, etc.

– un **couteau** pour cueillir les plantes et sculpter ton bâton de marche

– une **gourde**, car il faut boire souvent pour te réhydrater

– une petite **trousse à pharmacie** et des **mouchoirs**

– un **chapeau** et des **lunettes de soleil**, tu éviteras ainsi l'insolation

– des petites **provisions** : pour refaire le plein d'énergie, prends des barres de céréales, des noisettes ou des amandes, et une pomme

– une **carte** et une **boussole**, très utiles pour te repérer

– des **allumettes** pour allumer ton feu

– des **sacs en plastique** (pour tes récoltes) et des **sacs poubelle** (n'oublie pas de ramasser les déchets de ton déjeuner)

– un **imperméable** léger type modèle « chauve-souris »

– de la **ficelle** (on peut toujours en avoir besoin)

– un **sifflet** (tu pourras t'en servir pour prévenir s'il t'arrive quelque chose)

Les indispensables

Où que tu ailles, certaines choses doivent toujours t'accompagner. Elles te serviront en de nombreuses occasions et te permettront de voyager en toute sécurité.

La pharmacie

Très importante, cette pharmacie de premiers secours se compose de :

- compresses stériles
- désinfectant (incolore et qui ne pique pas)
- coton qui ne peluche pas
- pansements de toutes tailles et pour les ampoules
- arnica (crème et doses homéopathiques)
- crème apaisante (démangeaisons, piqûres, brûlures)
- pince à épiler (pour enlever les échardes)
- crème solaire
- « aspivenin » (à acheter en pharmacie)
- alcool de menthe et 2 ou 3 sucres

UN BON COUTEAU

Tu as le choix entre un couteau simple à une seule lame (type « Opinel »), ou un couteau multifonctions (type « couteau suisse »). Dans les deux cas, il sera bien aiguisé et graissé. Garde-le à l'abri de l'humidité et essuie-le après chaque utilisation.

Ton badge

Fabrique-toi à l'avance un badge de reconnaissance. Sur un morceau de carton, inscris en lettres capitales ton nom, ton adresse, ton numéro de téléphone et ta destination. Plastifie ce morceau de carton (feuilles plastifiées à acheter chez le libraire) ou entoure-le d'un sac plastique transparent que tu scotches. Perce deux trous et passe une ficelle pour pouvoir porter ton badge autour du cou.

Trouve le bon sac

Choisis-le à ta taille, ni trop gros, ni trop lourd car tu vas devoir le porter toute la journée ! Il existe des modèles enfant d'une capacité de 25 litres, amplement suffisant pour une randonnée d'une journée. Ajuste aussi les bretelles de façon à ce qu'il soit bien calé au milieu de ton dos.

Prépare ton sac pour aller camper

Si tu prévois une marche de plusieurs jours, tu auras besoin d'un peu plus de matériel. Prends juste le nécessaire sans trop te charger car le nombre de kilomètres à parcourir sera aussi plus grand. Et laisse aux adultes le soin de porter la tente !

Ton matériel pour plusieurs jours

En plus du matériel prévu pour une journée de randonnée (cf. p. 10-11), tu emmèneras :

- un maillet
- une petite pelle pliable
- une hachette
- de la corde solide (pour construire ton campement)
- un sac de couchage
- un matelas mousse
- une torche électrique (une lampe frontale si tu en as une)
- une couverture de survie (on ne sait jamais...)
- tes vêtements (de jour et de nuit)
- tes affaires de toilette
- un gobelet, une assiette, des couverts en aluminium
- deux torchons de vaisselle (un pour essuyer et un pour servir de nappe)
- de la citronnelle en vaporisateur pour éloigner les moustiques.

Choisis bien tes vêtements

Selon le nombre de jours, emporte assez de vêtements (et sous-vêtements) de rechange pour ne pas avoir à en laver. En plus de tes shorts, prends un pantalon pour te protéger les jambes si besoin (orties, ronces, moustiques, soirées fraîches, etc.).

DE BONNES CHAUSSURES

Avec des chaussures bien adaptées à ta pointure et à la marche, tu peux parcourir de très longues distances. Évite les ampoules en portant des chaussettes épaisses, et préfère les véritables chaussures de randonnée plutôt que des baskets. Tes chevilles seront mieux maintenues. Les semelles crantées te permettront de marcher sur tous les types de terrains, en montée, à plat ou en descente.

Comment remplir ton sac

- Place les objets les plus lourds au fond et les plus légers sur le dessus.
- Range toutes les petites choses dans les poches, en gardant à portée de main la gourde et la trousse à pharmacie.
- Place en dernier ton sweat et ton vêtement de pluie.
- Si ton sac est bien rempli, il doit avoir la même forme des deux côtés.

OUPS! j'ai dû le remplir un peu trop !

RANGEMENT MALIN

Classe tes affaires en essayant de respecter une logique. Par exemple, range le crayon, le carnet, la loupe, les jumelles et la lampe de poche à proximité les uns des autres pour te faciliter la tâche si tu as brusquement envie de te livrer à quelques observations. De même, si tu es gaucher, place ta gourde dans la poche de gauche de ton sac à dos.

La meilleure façon de marcher

En randonnée, un certain nombre de choses doit être pris en compte pour que la balade reste agréable et aisée.
Le tout est de bien s'organiser.

Comment marcher...

enfonce bien tes talons dans le sol !

FACILE À DIRE !

Suivre le chef de file est le plus simple, mais on peut aussi marcher côte à côte quand le terrain est plat.
En montée, pour économiser ton énergie, fais de grands pas en te penchant en avant. Tu peux d'ailleurs t'aider en t'appuyant sur un bâton de marche que tu planteras devant toi à chaque pas.
En descente, c'est le contraire ! Deux techniques t'éviteront de glisser : si tu marches droit, enfonce bien tes talons dans le sol ; sinon, marche en posant les pieds perpendiculairement à la pente.

MARCHER SUR LA ROUTE

Les circuits de randonnée empruntent parfois des portions de route. Dans ce cas, tu dois marcher en file indienne continue sur le bas-côté gauche de la route. Tu vois les voitures arriver et celles-ci te repèrent aussi de loin.

Prévois des pauses

Un bon marcheur fait 4 km à pied en plaine par heure. Mais il faut aller vite pour soutenir ce rythme, et ce n'est peut être pas ton objectif. Alors plutôt que de courir, **fais des pauses toutes les heures** et profites-en pour faire des observations dans la nature. Toutes les deux heures, tu peux aussi prévoir une pause énergétique en grignotant des fruits secs, des fruits frais ou des barres de céréales. Cela te permettra de moins ressentir la fatigue.

Fixe-toi des étapes

Il faut toujours savoir où l'on va, et donc établir sa destination au départ. En fonction de celle-ci, calcule le nombre de kilomètres entre le point de départ et l'arrivée, et le temps estimé du parcours. Divise ce parcours en étapes, et **fixe-toi des objectifs pour suivre ta progression**. Le chemin te paraîtra ainsi moins long.

BIEN TE FAIRE VOIR...

Par mesure de prudence, n'oublie pas de coller, avant le départ, sur ton imperméable et sur ton sac, des bandes phosphorescentes. Comme ça, si tu te fais prendre par la nuit, les voitures pourront te repérer de loin et t'éviter !

AAHH! un fantôme !!

mais non, c'est un randonneur.

Repère-toi avec les éléments de la nature

Tu as oublié ta boussole ? Tu peux quand même trouver ton chemin grâce aux mousses qui se trouvent sur les arbres, et grâce au soleil s'il n'y a pas de nuages. En effet, la mousse se développe plus souvent du côté du nord, car ce côté est très humide. Quant au soleil, tu sais qu'il se lève à l'est et se couche à l'ouest.

Comment lire une carte

Il existe des cartes à différentes échelles. Celles au 1 / 25 000e sont les plus pratiques. Sur ces cartes, 1 cm équivaut à 250 m sur le terrain. Tu y trouveras dessinés les maisons, les bois, les rivières, les voies ferrées, les routes, les chemins, les sentiers de grande randonnée (« GR ») et de promenade (« PR »). Les GR sont en général marqués en rouge, avec leur numéro, et les PR en jaune. Réfère-toi toujours à la légende (signes indiqués sur un coin de ta carte) pour connaître tout ce qui est représenté.

Route principale	Pont	
Route secondaire	Source	
Sentier	Fontaine	
Limite de forêt domaniale	Puits	
Limite de parc naturel	Citerne	
Église	Château d'eau	
Monument mégalithique : dolmen, menhir	Réservoir	
Point de vue	Cascade	
Camping	Bois de feuillus	
Hangar	Bois de conifères	
Terrain de sport	Verger, plantation	
Tennis	Vigne	
Refuge		

RENSEIGNEMENTS TOURISTIQUES

Itinéraire balisé sur sentier
GR :
Autre sentier :

Itinéraire balisé hors sentier
GR :
Autre sentier :

Itinéraire non balisé intéressant sur sentier

Refuge ou gîte d'étape gardé, non gardé. Abri

Camping

Centre équestre

Tennis. Piscine

Édifice remarquable

Informations tourisme

Trouve le nord !

Prends ta boussole, elle te le donne. Tourne ta carte pour faire coïncider le nord indiqué sur celle-ci avec celui de la boussole. Quand ta carte est dans le bon sens, tu peux alors repérer dans quelle direction tu dois aller.

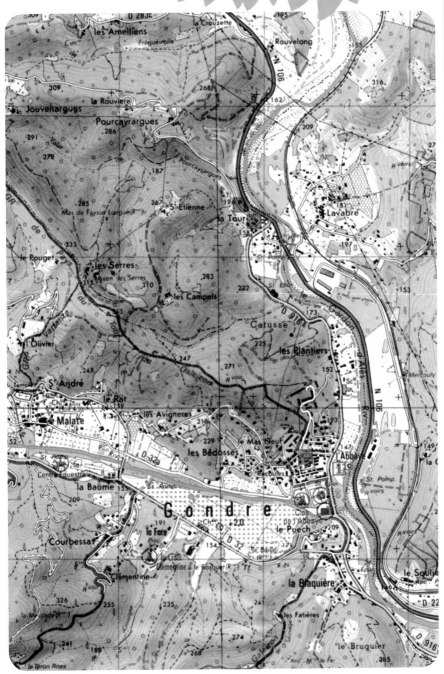

Ci-dessus un exemple de carte au 1 / 25 000e, amuse-toi à identifier, en te reportant au tableau de la page gauche, tout ce qui peut être vu ou fait dans la région.

Communiquer

Au sol en chemin, sur des arbres ou des rochers, la nuit en forêt... à chaque instant tu peux te servir d'un autre langage que celui de la parole. Crée tes propres codes ou suis ces exemples.

Le code Morse

À l'origine, le morse était un code fait de traits et de points utilisé pour le télégraphe. Tu peux également l'utiliser avec ton sifflet, ta lampe de poche, ou en tapant sur quelque chose si tu veux communiquer la nuit avec une autre tente sans te faire voir.

A • –	**J** • – – –	**S** • • •
B – • • •	**K** – • –	**T** –
C – • – •	**L** • – • •	**U** • • –
D – • •	**M** – –	**V** • • • –
E •	**N** – •	**W** • – –
F • • – •	**O** – – –	**X** – • • –
G – – •	**P** • – – •	**Y** – • – –
H • • • •	**Q** – – • –	**Z** – – • •
I • •	**R** • – •	

Camper

Au sol

Les dessins au sol sont très faciles à réaliser avec des branches ou des cailloux. Ils servent à informer les membres de ton groupe qui sont derrière toi, et les autres randonneurs. Autour de ton campement, tu peux aussi t'amuser à faire des jeux de piste de cette façon. Fabrique ces signes sur des endroits plats repérables de suite.

Direction à suivre

Mauvaise direction

Attention danger

Obstacle à franchir

Attendre ici

Groupe séparé en deux

Eau potable

Campement dans cette direction

19

L'alphabet des gestes

Si tu t'éloignes un peu des autres ou si tu ne veux pas faire de bruit car tu as remarqué quelque chose (un animal, par exemple), parle par gestes à tes compagnons de marche. Ils comprendront que tu veux leur faire partager ta découverte.

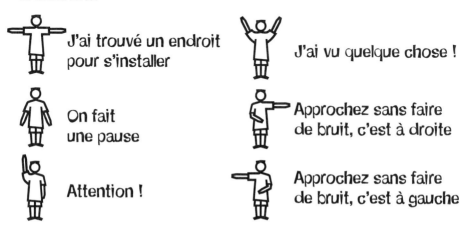

J'ai trouvé un endroit pour s'installer

J'ai vu quelque chose !

On fait une pause

Approchez sans faire de bruit, c'est à droite

Attention !

Approchez sans faire de bruit, c'est à gauche

L'alphabet des mains

Comme le morse, il est un peu long à apprendre ; mais une fois que tu le sais, il peut te servir dans toutes les occasions. Mémorise-le bien, car après être rentré de randonnée, tu apprendras cet alphabet à tes copains et copines en cour de récréation.

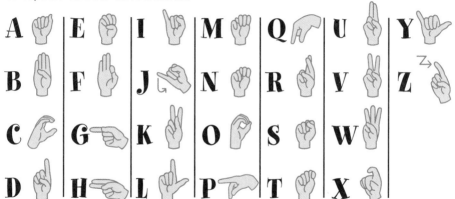

Codes de nuit

Il fait tout noir, et tu n'as toujours pas sommeil… **Communique avec le reste de la troupe** en envoyant des signaux lumineux avec ta lampe de poche ! Voici quelques exemples de ce langage nocturne ; inventes-en d'autres ! Et fais des gestes lents pour que tes camarades de jeux comprennent tout au fur et à mesure.

Rendez-vous dans ma tente

Emporte des provisions !

Tu as entendu ce bruit ?

Quelqu'un approche…

Les « GR » et les « PR »

Sur les parcours de « Grande Randonnée » et de « Promenade et Randonnée », certains signes sont peints sur les reliefs du paysage (arbres, rochers, panneaux, murs…). Surtout, ouvre l'œil ! Avec ces indications, tu retrouveras toujours ton chemin. Elles sont composées de deux traits de couleur.

Continuité du sentier

Changement de direction

Mauvaise direction

GR   PR

Où t'abriter si besoin ?

La marche en randonnée, c'est revigorant et très instructif. Mais quand il s'agit de faire face au mauvais temps, mieux vaut être averti plutôt deux fois qu'une !

Où se mettre en cas d'orage ?

→ Tu dois déjà le savoir, mais il est bon de le répéter : en cas d'orage, ne t'abrite pas sous un arbre, car la foudre choisit le plus court chemin pour atteindre le sol. Elle frappe donc en premier les arbres en rase campagne.

→ Éloigne-toi aussi de tout ce qui est source d'eau et de tout ce qui est métallique (pylônes, clôtures…) : ce sont de redoutables conducteurs d'électricité.

→ Ne te colle pas non plus à une paroi rocheuse sur laquelle l'eau ruisselle.

→ S'il n'y a pas d'abri en vue, continue à marcher mais surtout sans courir, en te couvrant de ton vêtement de pluie.

→ Et demande refuge au premier village rencontré !

Savoir où se trouve l'orage...

Il est facile, si tu disposes d'un simple chronomètre, de calculer à quelle distance se trouve l'orage. Pour cela, fais le décompte des secondes qui séparent l'apparition de l'éclair et sa détonation. Puis multiplie le nombre de secondes obtenu par 350. Ce dernier chiffre correspond approximativement à la vitesse du son par mètre/seconde.

Exemple : Si 10 secondes séparent l'éclair de sa détonation, tu obtiens :
10 secondes x 350 mètres : 3500 mètres (3,5 km)

Comment marcher sous la pluie

- Rester à la queue leu leu est la meilleure solution, car bien souvent la pluie assombrit le ciel. En marchant rapprochés les uns derrière les autres, on ne risque pas de se perdre.
- Si le terrain est glissant et en pente, pose les pieds en canard, et aide-toi de ton bâton de marcheur.
- Quand le temps est vraiment mauvais et le ciel noir, encorde-toi avec un adulte qui est devant toi.

PETITE ASTUCE

Il se peut que ton sac à dos ne soit pas parfaitement étanche. Pour éviter de déballer en fin de journée des affaires complètement trempées, ce qui est toujours très désagréable, pense à les mettre dans un grand sac poubelle que tu fermeras avant de le glisser à son tour dans ton sac à dos. Cela t'évitera d'être franchement de mauvaise humeur...

Fabrique un imperméable de fortune

Il pleut et tu as oublié ton imperméable ! Si tu as pensé à prendre des sacs poubelles, tu as de quoi te protéger tout de même.

1 Prends un grand sac, fais un trou au fond pour passer ta tête et deux trous un peu plus bas de chaque côté pour les bras.

2 Pour la tête, un petit sac plastique fera l'affaire à condition d'avoir le nez bien dégagé, ou bien un sac poubelle que tu attaches sous ton cou sans le déplier, comme s'il s'agissait d'une écharpe.

Choisis un lieu pour camper

Lorsque tu décides de partir pour plusieurs jours, le choix du lieu de campement est très important. C'est là que vous allez passer du bon temps ensemble en vous relaxant. Suis donc bien ces quelques conseils si tu veux pouvoir te reposer en toute tranquillité !

Le bon emplacement

Après avoir choisi un lieu sur ta carte, il faut t'y rendre. Une fois sur place, effectue un tour des lieux pour te décider.

Il est indispensable que cet endroit soit :

- loin des lignes à haute tension,
- loin des falaises et autres accidents de terrain naturels.

Il est préférable que cet endroit soit :

- près d'une lisière de forêt, car tu y trouveras des réserves de bois mort, utiles pour le feu et les différentes constructions,

- près d'un bosquet ou dans un petit coin boisé : cela te permettra de t'abriter du vent,

- près d'une source d'eau potable, utile en toutes occasions,

- sur un sol sec, perméable et recouvert d'herbes courtes (comme dans une prairie… car les serpents ne se cachent que dans les herbes hautes),

- et bien sûr, qu'il te plaise…

Où installer ta tente ?

Tu as trouvé un bon lieu de campement, tu dois maintenant penser à bien placer ta tente en fonction des éléments climatiques, de tes compagnons de route et des constructions utilitaires que tu vas réaliser.

→ Oriente plutôt ta tente vers l'est (là où le soleil se lève), mais prends garde à ne pas mettre l'entrée face aux vents dominants, afin que la fumée du feu ou les mauvaises odeurs ne rentrent pas dans ta tente.

→ Ne te mets pas sous les arbres, il vaut mieux avoir un ciel dégagé au-dessus de sa tête. Préfère une situation à quelques mètres d'un bosquet qui t'apportera de l'ombre à certaines heures de la journée.

La bonne disposition

Il est également important, si votre campement comporte plusieurs tentes, de les espacer suffisamment. Si elles sont face à face, garde ton espace vital au sortir de ta tente en laissant au moins 3 m entre les deux ouvertures.

Aménage ton campement

Quelques tâches élémentaires t'attendent avant de te reposer. Cela t'aidera bien ensuite, car tu auras tout le matériel sous la main pour aménager le camp. Nettoie les lieux en premier, tu en profiteras pour mieux observer le terrain.

Fais ta récolte

un vrai petit paradis !

Le bois : toutes les grosses et moyennes branches que tu trouves sont utiles pour les constructions diverses que tu vas réaliser. Choisis-les de différentes tailles, et les plus droites possibles.

Les feuilles : un bon matelas de feuilles et d'aiguilles de pin (si des conifères sont à proximité du camp) protège mieux le sol de l'humidité et du froid. Étends cette couche de feuilles de façon homogène sous le sol de la tente.

Les cailloux : ils calent, constituent la base du feu de camp, servent de repères et de signaux codés. Si tu as oublié ton maillet, un gros caillou le remplacera aussi.

UN BON NETTOYAGE

Faire place nette autour des tentes est une saine précaution de départ. Des brindilles réunies en fagot, et voilà un balai improvisé avec lequel tu vas nettoyer le sol pour enlever les branches, les petits cailloux et tout ce qui peux gêner ou servir de cache aux insectes et serpents.

Organise le camp

On prévoit les endroits où seront installés le feu, le garde-manger, la poubelle, le coin salle de bains et les feuillées (voir p. 32) quand on arrive, après avoir décidé de l'emplacement des tentes.

- Le feu doit être protégé des vents, à l'écart des tentes, dans un lieu dégagé, sans arbres ni buissons. Évite les terrains en pente.

- Le garde-manger sera à peu de distance du coin cuisine, placé sur un tipi que tu construis ou accroché aux branches d'un arbre situé à proximité.

- La poubelle, les feuillées et le coin salle de bains seront bien à l'écart du coin cuisine et des tentes, si possible derrière un petit buisson pour plus d'intimité.

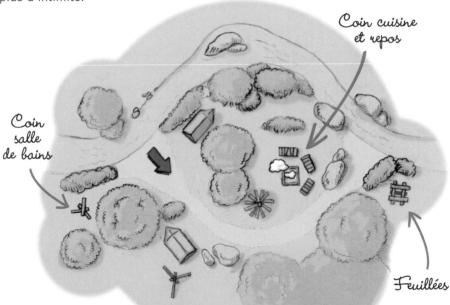

Coin cuisine et repos

Coin salle de bains

Feuillées

Attention aux petites bêtes

Fourmis, guêpes et perce-oreilles vivent en grand nombre dans la nature, ce qui est tout à fait normal ! Si tu ne veux pas que ces petites bêtes deviennent un problème, observe soigneusement le lieu choisi pour le campement : les perce-oreilles adorent se cacher dans les écorces craquelées et dans les tas de cailloux. Les fourmilières comme les nids de guêpes se repèrent sur le sol nu et dans les herbes. Évite absolument de placer ta tente dessus !

Attention

Il est temps de monter la tente...

Tu peux te charger seul du montage de la tente si tu t'y prends bien. Mais il vaut mieux être deux, on va plus vite et c'est plus facile. Suis les étapes une par une en regardant bien les éléments que tu as en main.

Le choix d'un modèle

Tous les modèles actuels de tentes à 2 et 3 places sont très légers. Tu choisiras le tien selon sa forme, sa taille, sa résistance aux intempéries en fonction du lieu où tu comptes aller camper et la période. Tout est indiqué sur l'emballage. Les deux modèles principaux sont la tente igloo dont la longueur et la largeur sont égales, et la canadienne qui est plus longue que large. L'igloo est un peu plus haute que la canadienne.

Canadienne

Igloo

C'est fait comment ?

Un double-toit imperméable et une toile intérieure constituent les murs de la tente. Ces murs tiennent grâce à des armatures en fer ou en fibres de verre qu'il faut emboîter, tendre ou planter dans le sol selon les modèles. Le tapis de sol est aussi imperméable et cousu à la toile intérieure par des coutures étanches. Des piquets en fer appelés sardines servent à fixer la structure au sol.

Camper

→ PAR QUOI ON COMMENCE ?

1. Après avoir sorti la tente de son sac, déplie-la et garde rassemblés tous les éléments comme les sardines, les filins et le sac.

2. Place le tapis de sol à l'emplacement choisi. Il est plastifié, tu le reconnaîtras de suite. Tends-le bien par terre et fixe les coins avec des sardines.

3. Monte les armatures et enfile-les dans les passants qui se trouvent au-dessus de la toile intérieure.

c'est toi qui m'as dit de prendre des sardines pour planter la tente.

4. Réajuste le tapis de sol si besoin en tendant la toile intérieure sur les armatures.

5. Pose le double-toit de la tente au-dessus.

6. Tends les élastiques qui se trouvent dans le bas de la toile, autour du tapis de sol et attache-les aux sardines que tu enfonces dans le sol de biais, la pointe orientée vers la tente. Ainsi, ces dernières ne risqueront pas de ressortir de terre sous la force de tension.

7. Fais de même avec les filins du double-toit.

 Attention !

Les modèles actuels de tentes sont si simples à monter que l'on a l'impression qu'ils tiennent debout tout seuls et n'ont pas besoin d'être arrimés au sol. C'est vrai dans les endroits très protégés, mais là où le vent risque de souffler, il vaut mieux se servir des bonnes vieilles sardines ! Plantées à chaque coin ou tout autour, elles tendent la toile et maintiennent la tente fixée au sol.

⚠ **Attention**

... et de t'installer

Ta tente est maintenant montée. La dernière chose qu'il te reste à faire est de savoir ranger tes affaires à l'intérieur, pour un confort parfait dans ta nouvelle maison.

Organise ton espace

L'espace de ta tente doit d'abord te servir à bien dormir. Il est donc important que tu aies la place de déplier ton sac de couchage et d'avoir le plus de choses possible à portée de main.

Ton sac de couchage

➔ Positionne la tête du côté de l'ouverture de la tente. Cette précaution permet de sortir plus vite en cas d'urgence. Si tu n'as pas d'oreiller, roule un pull-over que tu caleras sous ta tête.

CONSEILS POUR BIEN DORMIR

L'ennemi du campeur, la nuit, c'est le froid. Voici quelques astuces pour y remédier.

• Plutôt que de te charger de deux sacs de couchage, il est préférable de n'en prendre qu'un, adapté aux conditions climatiques, puis de se couvrir d'une couverture. N'hésite pas, si tu es à proximité d'un refuge, à demander que l'on t'en prête un.

• Par ailleurs, si tu ne veux pas geler, il faut éviter de transpirer. Si tu es habillé trop chaudement, tu ne pourras pas évacuer la transpiration. Préfère un simple pyjama à un empilement de vêtements. Et surtout, ne dors pas dans les vêtements que tu as portés dans la journée. Change-toi complètement avant de te glisser dans ton sac.

• Enfin, ferme ton sac complètement. On ne doit voir dépasser que le bout de ton nez.

Range tes affaires

Tout ce que tu ranges dans ta tente ne doit pas toucher les côtés de la toile intérieure, afin d'éviter l'humidité due à la condensation.

Ton sac à dos

➜ Si tu es tout seul dans ta tente, range ton sac à dos dans l'un des coins. À deux, il est plus facile de laisser les sacs sous l'avancée de la tente quand elle est petite, ou de les mettre au pied des sacs de couchage. Pour ne pas avoir trop de bazar dans la tente, sors de ton sac à dos au fur et à mesure les affaires dont tu as besoin, et range-les à nouveau quand tu as fini.

Tes chaussures

➜ À chaque fois que tu entres dans la tente, enlève tes chaussures. Tu saliras ainsi moins ta chambre ! Si elles sont boueuses, brosse-les, puis range-les entre le double-toit et la toile intérieure. Quand le temps est vraiment très orageux et humide, rentre-les dans un des coins ou au fond de la tente, en les retournant, semelles au-dessus.

Tes vêtements

➜ Range-les au centre de la tente si vous êtes deux, ou sur l'un des côtés, sans toucher la toile.

Ta lampe de poche

➜ Garde toujours ta lampe de poche à proximité de ton oreiller, de façon à ce qu'elle soit facilement accessible.

Tes objets de valeur

➜ Place tes papiers d'identité, ton argent, tes bijoux si tu en as, etc. sous ton oreiller, ou au fond de ton sac de couchage.

ça y est ! j'ai tout bien rangé !

oui, mais on va dormir où ? Y'a plus de place !

Halte aux mauvaises odeurs !

**Les toilettes et le coin réservé aux déchets sont deux endroits à organiser de suite quand on établit le camp.
Munis-toi de tes outils, et au travail !**

Le petit coin

En terme scout, le petit coin s'appelle « les feuillées » parce que l'on remplace l'eau de la chasse d'eau par de la terre et des feuilles sèches.

Il te faut

- Ta pelle
- Ton maillet
- De la corde
- 6 rondins ou grosses branches de 1 m de longueur
- 2 rondins ou grosses branches de 40 cm de longueur
- Ton couteau

1 Choisis un endroit à l'écart du campement (mais pas trop loin non plus !), dans un endroit aussi plat que possible.

2 Creuse un trou rectangulaire d'environ 80 cm de longueur sur 30 cm de largeur. La profondeur sera équivalente à la hauteur de ta pelle dépliée, soit 50 cm.

3 Il faut que tu enfonces les 2 gros piquets de devant d'un tiers de leur longueur dans le sol, et les 2 de derrière sur la moitié de leur longueur.

4 En travers, en partie haute, place le 5e rondin, et attache-le aux autres à l'aide de 2 nœuds de brêlage (cf. p. 41).

5 Cale sur la partie avant la dernière grosse branche en travers à l'aide des 2 piquets courts que tu enfonces de moitié dans le sol.

6 Cette grosse branche te servira de siège, et le 5e rondin de dossier.

7 Laisse le tas de terre sorti du trou à côté de celui-ci, et rassemble aussi un tas de feuilles sèches. Tu sais déjà à quoi cela va te servir…

Le coin poubelle

La poubelle doit être assez près de l'endroit où tu manges, mais pas trop pour éviter d'être incommodé par les insectes et les mauvaises odeurs. Il faut aussi penser que les fourmis et petits animaux s'attaqueront à un sac simplement posé sur le sol.

→ La meilleure solution est de déposer les déchets qui se décomposent dans un sac poubelle muni d'un lien que l'on referme à chaque fois. Tu le suspendras à une branche d'arbre à l'aide d'une corde.

→ Pour les déchets recyclables (carton, plastique, canettes, emballages, verre…), il suffit d'un simple sac poubelle soutenu par 3 rondins enfoncés dans le sol. Le sac pourra ainsi rester ouvert.

Il te faut

- 3 piquets ou branches moyennes
- Ton maillet
- De la corde
- Des sacs poubelles

 Attention !

Quand tu quittes ton campement, n'oublie pas de prendre tes poubelles avec toi. Tu les laisseras dans des endroits appropriés (déchetterie, bennes de villages…).

On peut aussi sentir bon, non ?

En randonnée, on peut rester quelques jours sans se laver. Mais si tu en as la possibilité, aménage un petit coin salle de bains.

Se laver

Sur un tripode (cf. p. 36), tu peux poser une bassine ou un récipient pour mettre de l'eau. Comme tu n'as pas de machine à laver, tu les utiliseras aussi pour faire un peu de lavage, si besoin. Derrière un petit bosquet tu auras plus d'intimité.

 Attention !

Si tu comptes prendre ton bain dans la rivière, emploie du savon végétal et en petite quantité. Fais aussi bien attention au courant et aux trous d'eau qui forment des tourbillons afin d'éviter les accidents.

Fabrique ton porte-savon

Parfois on le perd, parfois on glisse dessus, parfois il tombe dans l'herbe... on ne sait jamais vraiment où le mettre et il n'est jamais là où on le croit. Pour vivre en paix avec ton savon, voici un porte-savon extrêmement facile à réaliser. Perce un trou au milieu de ton savon à l'aide de ton couteau. Fais passer un morceau de ficelle à l'intérieur, puis fixe à l'une des extrémités un petit morceau de bois qui permettra de le retenir. Suspends ton porte-savon à une branche ou à un quelconque support de ton choix.

S'essuyer

Construis un porte-serviettes en claies, il servira pour les serviettes de tout le groupe ! Tu le feras tenir en le suspendant à une branche d'arbre.

1 Écorce les branches le mieux possible pour bien les nettoyer.

2 Prends un long morceau de corde et assemble les branches comme sur le dessin, à l'aide de nœuds de galère (cf. p. 43).

3 Après avoir accroché le haut de ta claie à une branche, tends-la en biais et fixe le bas au sol à l'aide du piquet.

PETIT CONSEIL !

Une serviette éponge, c'est doux ! Mais c'est volumineux et surtout, c'est long à faire sécher ! Pour ceux qui préfèrent voyager léger, tu trouveras dans les magasins de sport des petites serviettes, destinées aux nageurs, très efficaces. Ces serviettes dites «chamoisines», parce qu'elles évoquent la peau de chamois, ont un très fort pouvoir absorbant. Après t'en être servi, tu n'as qu'à les essorer, puis à les ranger dans leur étui... Avis aux petits porteurs...

Faire sécher les affaires

Deux troncs d'arbres assez rapprochés l'un de l'autre sont l'occasion de tendre une corde. Celle-ci supportera les vêtements que tu dois faire sécher, un petit miroir si tu en as un, et tes affaires de toilette.

Le coin des bricoleurs

Tu aimes bricoler ? Alors voilà l'occasion de t'exercer : tipi, tripode et banc sont les éléments de base que tu construiras pour améliorer le confort du camp.

Il te faut

Pour toutes les constructions :
- Du bois
- De la corde
- Ton couteau
- Ton maillet
- 1 petite hache si tu en as

Le tripode

C'est l'élément le plus polyvalent du camp. Il est constitué de trois piquets de bois (grosses branches, rondins, pieux) reliés ensemble. On y pose de nombreuses choses, aussi bien le sac à dos qu'une bassine, une casserole, une planche large pour servir de table, etc.

1 Cherche 3 grosses branches courtes et droites. Si tu as une petite hache, tu peux aussi en couper une en trois morceaux de 70 cm.

2 Attache-les ensemble à l'aide d'un nœud tête de bigue (cf. p. 42) au 2/3 de leur hauteur.

3 Écarte-les afin de former un trépied qui peut tenir seul en équilibre. Les pieds sont les morceaux les plus longs.

Le tipi

Sur un tipi simple, on accroche une lampe
tempête pour éclairer le centre du campement,
mais aussi les habits à faire sécher,
les provisions à garder à portée de la main,
les casseroles et divers ustensiles utilisés
chaque jour. Si tu accroches un torchon
par ses coins à chacun des piquets
et dans le tiers supérieur du tipi,
tu formes un petit sac.
La construction suit le même
principe que celui du tripode,
avec 3 longues perches, réunies
au sommet par un nœud
de tête de bigue.

Le banc

Si tu n'aimes pas t'asseoir par terre, fabrique un ou plusieurs bancs selon
le matériel que tu trouveras dans la nature.

EH! on est super bien assis !

Corde et nœud
de galère

Cailloux qui soutiennent
les branches

1 Trouve quelques gros cailloux
plats de même hauteur.

2 Dispose-les comme
sur le dessin.

3 Pose par-dessus 4 ou 5
branches en travers reliées
par des nœuds de galère
(cf. p. 43).

Assembler : une nécessité

Les techniques d'assemblage qui te sont proposées sont parmi les plus simples. Très efficaces, elles vont te permettre d'effectuer et de consolider beaucoup de tes constructions.

Le méplat

Il facilite l'assemblage de deux rondins de bois : entaille le haut de chaque rondin de façon à ce qu'il y ait une surface plane d'un côté, sur environ 10 à 15 cm de longueur. Pour que les rondins ne tournent pas une fois attachés, dispose les deux faces planes l'une contre l'autre. De cette façon, tu pourras aussi serrer d'avantage la corde qui relie les deux rondins.

Le tenon et la mortaise

La mortaise est un trou pratiqué dans un rondin (ou autre surface en bois), dans lequel viendra se placer la pointe d'un autre rondin. Cette pointe s'appelle le tenon. Avec cette technique, on réalise des assemblages perpendiculaires qui tiennent sans corde ni ficelle.

Bon exemple

Mauvais exemples

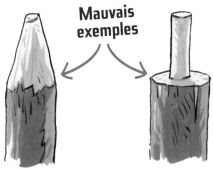

→ Attention, le tenon est légèrement conique, pour avoir une meilleure résistance.

→ La mortaise peut aussi être un trou ne traversant pas le rondin de part en part. Il faut simplement que ce trou soit assez profond pour que le tenon s'y enfonce solidement.

→ La mortaise est en général pratiquée avec une petite tarière (outil qui ressemble à un tire-bouchon). Tu peux emporter ce genre d'outil dans une des poches de ton sac à dos.

TOUTE PEINE MÉRITE REPOS

Avec ces deux techniques d'assemblage, tu as de quoi construire un banc solide pour te reposer après une dure journée.

Méplat avec nœud de brêlage

Tenon et mortaise

Les nœuds

Savoir faire des nœuds est indispensable lorsque tu dois te débrouiller tout seul. Apprends ceux dont tu as besoin pour toutes les attaches et constructions élémentaires.

Nœud de cabestan

Il est utile pour commencer certains nœuds ou pour attacher une corde à un point fixe.

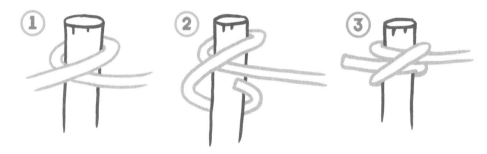

1 Fais une première boucle sur la branche avec la corde.

2 Repasse la corde sur la branche en croisant la corde, afin de faire une deuxième boucle.

3 Cette fois-ci, passe le bout de la corde sous la deuxième boucle, et tire fort.

Nœud de brêlage

Il existe deux façons de faire un nœud de brêlage. La première permet de solidariser deux branches à angle droit, la deuxième convient aux assemblages à angle quelconque.

LE BRÊLAGE DROIT (POUR ANGLES DROITS) :

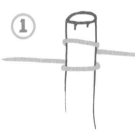

1 Commence par faire un nœud de cabestan autour de la branche verticale.

2 Place la deuxième branche horizontalement, sur le nœud de cabestan. Passe la corde sur la branche horizontale, sous la verticale puis à nouveau sur la branche horizontale et sous la verticale pour faire un tour complet.

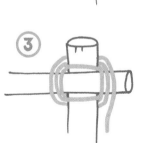

3 Répète l'opération trois fois (il ne faut pas que les tours se chevauchent) et serre bien.

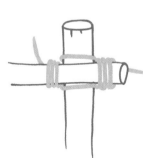

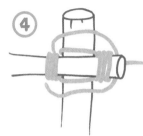

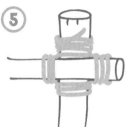

4 Passe maintenant la corde sur la branche verticale et sous la branche horizontale pour faire un tour complet.

5 Fais trois tours en serrant fort. Termine par un nœud de cabestan autour de la branche verticale.

LE BRÊLAGE DIAGONAL (POUR ANGLES QUELCONQUES) :

1 Commence comme le brêlage droit.

2 Croise les trois premiers tours de corde.

3 Continue et finis comme le brêlage droit.

Nœud tête de bigue

Avec ce nœud, tu dresseras facilement un tipi, un tripode…

1 Dispose trois branches côte à côte.

2 Commence par faire un nœud de cabestan autour de celle du milieu.

3 Passe la corde sous celle de gauche, puis par-dessus, sous celle du milieu, et sur celle de droite.

4 Recommence trois fois en enroulant la corde vers le haut.

5 Passe la corde sur la branche de gauche, sous celle du milieu, et fais-la revenir entre la branche du milieu et celle de droite.

6 Glisse la corde sous chaque boucle de la branche de droite et tire fort.

Nœud de galère

Le nœud de galère pourra te servir à construire une échelle de corde et tout ce qui s'en rapproche.

1 Forme une boucle.

2 Passe ta corde dans la boucle de façon à former une anse.

3 Passe ton morceau de bois dans l'anse ainsi formée et serre fort.

UNE ÉCHELLE DE CORDE

Le nœud de galère te permet de faire une échelle sans couper ta corde ! Pour cela, utilise une corde très longue, fais deux nœuds à une branche assez haute pour soutenir ton échelle puis fais un nœud à chaque barreau d'échelle jusqu'en bas.

LE NŒUD COULANT

Fais une boucle avec ta corde en croisant les deux bouts. Passe le bout de droite devant toi et puis derrière la boucle en entourant celle-ci de façon lâche. Tu formes ainsi une seconde boucle. Repasse ton bout dans cette boucle du haut vers le bas. Tire, le nœud se serre. Tire ensuite sur l'un des bouts, il doit coulisser. Attention, si tu tires trop, tout se défait !

Jouer au trappeur

En forêt, construis ton authentique cabane en bois pour vivre encore plus près de la nature. Hutte ou tipi... ce sera ton domaine secret.

Le tipi indien

1 Récolte autant de grosses branches que tu peux et aussi droites que possible. Plus tu en auras, plus ton tipi sera grand.

2 Positionne-les en trépied en laissant une ouverture sur un des côtés.

3 Toutes ces branches seront réunies en haut du trépied à l'aide d'un cordage.

4 Recouvre cette structure en attachant des branches feuillues et des fougères tout le long des grosses branches.

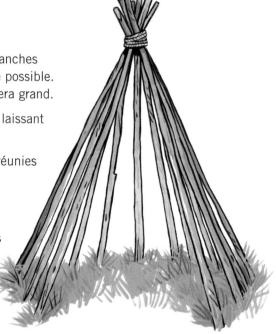

VARIANTE

Tu peux aussi réaliser un tipi simple avec trois branches liées avec un nœud tête de bigue (cf. p. 42). Mais il te faudra de la toile ou une bâche plastique pour le couvrir et en faire ainsi une cabane.

La hutte préhistorique

(1) Choisis un tronc d'arbre assez haut et dégagé, sur lequel tu vas appuyer ta hutte.

(2) Trouve une longue et grosse branche la plus droite possible, qui soutiendra l'ensemble de la hutte.

(3) Appuie l'un des bouts de cette branche contre le tronc à 1,50 m de hauteur (tu peux aussi l'attacher avec une corde autour du tronc). L'autre extrémité repose par terre.

(4) De chaque côté de cette grosse branche, pose en biais et à intervalles réguliers (tous les 30 à 40 cm) d'autres grosses branches.

(5) Sur cette structure, fixe perpendiculairement de fins branchages avec quelques morceaux de corde.

(6) Recouvre le tout de branches feuillues et de frondes de fougère que tu auras récoltées en les coupant à la base avec ton couteau.

Il te faut

- Des grandes branches
- Des branchages légers
- Des branches feuillues
- Des feuilles de fougère
- De la corde
- Ton couteau

Un sol sain pour une nuit saine

Le sol de ta cabane, comme de ton campement, doit être bien propre.
Si tu veux te fabriquer un matelas de feuilles, vérifie que ces dernières ne sont pas infestées de petites bêtes.

Faire du feu

Attention

Avant de réaliser ton feu de camp, suis précisément ces quelques conseils. Ils t'éviteront bien des accidents.

Précautions

Place ton feu dans un endroit bien dégagé, où il n'y a pas de broussailles. En effet, celles-ci s'enflamment très vite et provoquent de nombreux incendies en été.

Choisis un endroit abrité des vents pour localiser ton feu.

Nettoie bien le sol, car le foyer s'installe sur de la terre nue, ou des herbes très rases.

Garde à proximité une casserole ou un jerrican d'eau, et un tas de terre avec une pelle.

Construis ton foyer selon l'un des trois modèles présentés.

Trois modèles simples

Une marmite à anse au-dessus d'un trou creusé dans le sol

Une marmite à anse

3 pierres pour faire tenir la marmite !

LE FEU DU RANDONNEUR

LE FEU DU BERGER

LE FOYER ENTERRÉ

Que mettre dans le feu ?

Allumer un feu ? Rien de plus simple ! Encore faut-il savoir comment superposer les différents matériaux.

1 Commence par froisser du papier, c'est la première couche.

2 Ramasse autant de brindilles que possible et mets-les sur le papier.

3 Au-dessus, tu vas placer quelques feuilles sèches si tu en trouves.

4 Encore au-dessus, dispose du petit bois. Celui-ci est constitué de petites branches bien sèches.

5 En dernier, place quelques bûches en les croisant les unes les autres.

6 Maintenant, tu peux craquer une allumette et enflammer le papier (qui mettra le feu au reste).

Le sais-tu ?

Les pierres que tu utilises pour fabriquer ton foyer doivent toujours être bien sèches. Certaines pierres peuvent en effet casser ou exploser au contact du feu si elles sont humides.

euh, mince ! j'ai oublié la boîte d'allumettes.

Éteins bien ton feu

Évite d'abandonner les braises à elles-mêmes car le moindre coup de vent peut raviver ton feu. Quand tu as terminé de cuisiner, jette deux pelletées de terre sur les braises, puis un seau d'eau. Surtout ne fais pas l'inverse, car par le biais d'une réaction chimique, quand les braises sont encore très chaudes, l'eau fait aussi l'effet d'un activateur. Et dans ce cas, ces dernières peuvent exploser.

Conserver les aliments

Dans la nature, il n'y a pas de placards ni de réfrigérateur !
Mais il suffit d'avoir un peu d'idées et de te servir de ton
environnement pour conserver tes aliments.

Garde-manger

**Pour entreposer tes réserves
tu as deux solutions :**

➜ De la même façon que tu as suspendu
ta poubelle à une branche d'arbre, mets
tes provisions dans un grand sac que
tu fermes bien. Attache ce sac à une corde,
et passe cette dernière autour d'une grosse
branche, de façon à ce que le sac soit à
la hauteur de ton buste. Comme il ne touche
pas terre, tu n'auras pas à craindre que
des bêtes viennent dévorer ta nourriture.

➜ Avec deux branches fourchues
enfoncées dans la terre comme des
piquets, et une troisième branche
posée perpendiculairement dessus,
tu as un autre garde-manger très
efficace. Tu peux y suspendre ton pain
attaché dans un torchon, et beaucoup
d'autres victuailles dans leurs sacs.

Réfrigérateurs naturels

Tout ce qui est périssable doit se conserver au frais, comme le beurre, la viande, les laitages...

➔ Il fait toujours plus frais dans le sol que sur la surface de la terre. Creuse un trou assez profond (50 cm) dans un endroit qui reste tout le temps à l'ombre. Tapisse le fond de fougères, de mousse et d'herbes vertes que tu humidifies en les arrosant. Pose tes aliments dans ce trou après les avoir enfermés dans des récipients hermétiques.

➔ S'il y a une rivière à proximité de ton campement, ton réfrigérateur est tout trouvé ! Pense à mettre les aliments et les boissons dans des boîtes en plastique étanches et bien fermées. Plonge-les dans l'eau après les avoir attachées avec une ficelle à un arbuste ou une pierre de la berge pour que le courant ne les emporte pas. Si tu n'as pas de boîtes à ta disposition, sers-toi de sacs en plastique que tu fermeras et attacheras solidement.

Salades en tous genres

Elles sont rafraîchissantes et permettent de mélanger tout ce que l'on peut manger cru. Suis ces recettes de salades composées, puis invente des mélanges selon ton imagination en regardant les provisions dont tu disposes.

La salade du chef

Sucrée-salée, cette salade haute en couleurs se distingue des autres par sa farandole de saveurs.

Il te faut

Pour 4 personnes
- 1 grosse pomme
- 1 tranche de comté
- 2 tranches de jambon
- 1 sachet de raisins secs
- 1 avocat
- 2 tomates
- 4 champignons de Paris
- 1 citron
- Huile et sel

1 Épluche la pomme et coupe-la en petits morceaux dans un grand récipient.

2 Coupe le comté, les tranches de jambon et les tomates de la même façon.

3 Ajoute deux poignées de raisins secs.

4 Coupe l'avocat en deux, enlève le noyau et la peau, et coupe la chair en dés au-dessus des autres ingrédients.

5 Lave les champignons et coupe-les en lamelles.

6 Presse le citron et mélange le jus avec deux cuillerées d'huile et deux pincées de sel.

7 Verse la sauce sur ta salade et mélange.

COURGETTES EN LAMELLES

Tu connais les courgettes cuites, ingrédient indispensable de la ratatouille. Essaye de les manger crues, elles ont un petit goût de noisette très agréable !

Il te faut

Pour 4 personnes
- 2 grosses courgettes
- 1 sachet de pignons de pin
- Huile d'olive et sel
- Ciboulette

1 Lave les courgettes puis épluche-les ou gratte-les.

2 Coupe de fines lamelles de courgettes avec un économe ou un couteau.

3 Arrose ces lamelles avec un filet d'huile d'olive et une pincée de sel.

4 Ajoute une poignée de pignons de pin et de la ciboulette hachée.

5 Retourne-les régulièrement et déguste-les environ une demi-heure après.

Salade du soleil

Cette salade assez simple à réaliser te permet de manger un plat original et équilibré :

Il te faut

- 1 grosse boîte de thon
- 1 grosse boîte de maïs
- 1 boîte de haricots rouges
- 1 concombre
- 2 tomates
- 1 sachet d'olives noires ou vertes
- Huile, vinaigre et sel

1 Ouvre les boîtes et égoutte-les.

2 Verse le thon, le maïs, les haricots rouges et les olives dans un récipient.

3 Épluche le concombre et coupe-le en fines rondelles.

4 Lave les tomates et coupe-les en morceaux.

5 Mélange une petite cuillerée de vinaigre avec deux cuillerées à soupe d'huile, ajoute deux pincées de sel, verse cette sauce sur la salade et mélange.

Brochettes variées

Rapides et ne nécessitant pas beaucoup de matériel, les brochettes sont le meilleur moyen de se préparer un repas. Et sur une brochette, on concentre tout un repas équilibré !

Saucisse en manteau

Les saucisses, tu connais. Mais les as-tu déjà habillées d'ingrédients divers pour pouvoir redécouvrir leur saveur ?

Il te faut

- 1 saucisse de Francfort
- Fromage râpé
- 1 tranche de bacon
- 1 tomate

(1) Coupe la saucisse en deux dans le sens de la longueur.

(2) Garnis l'intérieur de fromage râpé et referme-la.

(3) Enroule-la dans une tranche de bacon.

(4) Prends une fourche naturelle (fine branche fourchue que tu auras trouvée dans la nature et écorcée).

(5) Pique sur chaque branche de la fourche une demi-tomate.

(6) Embroche la saucisse à la suite et fais cuire au-dessus des braises vives.

52

Brochette complète

Une banale brochette de légumes et de viande peut devenir une vraie source de plaisir si tu la dégustes en revenant d'une journée de marche dans la nature !

Il te faut

Pour 4 brochettes
- 2 filets de poulet
- 2 tomates
- 1 poivron
- 1 oignon
- Sel

1 Coupe le poulet en morceaux.

2 Lave les tomates et le poivron, coupe les tomates en quatre et fais des lamelles de poivron.

3 Épluche l'oignon en le tenant loin de tes yeux et coupe-le en quatre.

4 Embroche tous tes ingrédients en les alternant sur chacune des brochettes et en serrant bien.

5 Sale légèrement les brochettes en les tournant de tous les côtés.

6 Fais cuire un quart d'heure sur les braises vives.

BROCHETTE MONSIEUR

Entre le croque-monsieur et la brochette commune, la brochette Monsieur se démarque des autres par son allure de sandwich à la verticale.

Il te faut

Pour 1 brochette
- 1 tranche de comté
- 1/2 tomate
- 1 tranche de jambon
- 1 tranche de pain de mie

1 Prends une tranche large de pain de mie et coupe-la en quatre.

2 Coupe ta tranche de jambon en quatre lamelles, ta tranche de comté en deux.

3 Enfile un morceau de pain de mie, puis un morceau de comté suivi d'un autre de pain de mie.

4 Pique ensuite une lamelle de jambon repliée en trois, puis un morceau de tomate, et recommence une nouvelle fois avec jambon et tomate.

5 Termine par un morceau de pain de mie, un morceau de comté et le dernier morceau de pain de mie.

6 Fais cuire cette brochette très légèrement pour que le fromage fonde.

Avec des pommes de terre

Les pommes de terre sont bonnes à tout faire !
Patate à l'eau, patate grillée, patate farcie, tout est prétexte
à manger cette délicieuse tubercule !

PATATES EN SALADE

Les patates à l'huile, c'est pas difficile,
et c'est aussi beau que les patates à l'eau !

1 Fais d'abord cuire les pommes de terre dans
une casserole d'eau.
2 Une fois cuites, laisse-les refroidir quelques
minutes.
3 Quand elles sont tièdes, enlève la peau
et coupe-les en morceaux dans un récipient.
4 Déguste-les tièdes, arrosées d'un filet d'huile et de gros sel.

> **Il te faut**
>
> **Pour 4 personnes**
> - **6 pommes de terre
> à chair ferme**
> - **Gros sel**
> - **Huile**

GALETTES DE POMMES DE TERRE

C'est tout simplement délicieux,
et cela mérite amplement que l'on se donne
un peu de mal...

1 Fais cuire les pommes de terre dans
une casserole d'eau salée. Écrase-les avec
une fourchette et ajoute le lait petit à petit de façon à obtenir une purée.
2 Ajoute l'oignon haché, les œufs, la farine, le sel et le poivre.
3 Prépare six galettes de 10 cm de diamètre environ. Fais-les cuire
5 minutes de chaque côté, dans une poêle chaude avec de l'huile.

> **Il te faut**
>
> **Pour 4 personnes**
> - **6 pommes de terre**
> - **1/2 l de lait**
> - **1 oignon**
> - **2 œufs**
> - **50 g de farine**
> - **Sel, poivre**

Patate sous la braise

Allie la douceur de la pomme de terre chaude à la fraîcheur de la crème et de la menthe. Tu verras, c'est délicieux !

1 Enroule ta pomme de terre dans du papier d'aluminium.

2 Place-la à l'intérieur des braises bien chaudes.

3 Pique-la de temps en temps avec une fourchette ou une broche pour savoir si elle est cuite : patate molle = patate cuite, si tu sens encore un peu de résistance, c'est qu'elle n'est pas encore tout à fait prête à être mangée !

4 Une fois cuite, sors-la des cendres et ouvre le papier d'aluminium.

5 Prépare dans un bol la crème fraîche, que tu mélanges avec une pincée de gros sel et les feuilles de menthe lavées et coupées en petits morceaux.

6 Ouvre ta pomme de terre en deux dans le sens de la longueur afin d'y glisser la crème à la menthe.

Patate à l'œuf

Voici un remix des tomates farcies, qui ne sont pas au goût du jour lorsqu'il s'agit de faire un repas barbecue… La patate à l'œuf est plus facile et tout aussi bonne.

1 Coupe le haut d'une pomme de terre (tiens-la verticalement).

2 Creuse assez l'intérieur pour pouvoir y mettre un œuf.

3 Casse l'œuf cru dans la pomme de terre.

4 Remets le chapeau de celle-ci.

5 Embobine-la dans une feuille de papier d'aluminium afin d'obtenir une sorte de papillote (serre bien pour que le chapeau ne tombe pas).

6 Fais cuire ta pomme de terre farcie sous la cendre, tout près des braises, en la calant verticalement.

Se faire cuire un œuf

Les œufs, c'est simple et c'est bon ! Ils sont aussi riches en protéines, et peuvent donc très bien remplacer la viande.

Œuf coque en tutu

Les œufs coques, certains disent qu'il n'y a rien de meilleur. Ne t'encombre pas d'un coquetier quand tu pars en randonnée, le pain des mouillettes fera très bien l'affaire !

> **Il te faut**
> • Autant d'œufs que de personnes
> • Un bon pain de campagne

1 Fais cuire tes œufs à la coque 3 minutes dans une casserole pleine d'eau bouillante puis retire-les à l'aide d'une cuillère.

2 Coupe des tranches épaisses de pain.

3 Enlève un peu la mie au centre et cale ton œuf dans ce trou.

4 N'oublie pas de manger le coquetier une fois l'œuf terminé !

Œuf à la cromignon

Retrouve tes instincts primaires ; tu n'as pas emporté de poêle, mais cela ne doit pas t'empêcher de faire cuire un œuf au plat !

1 Choisi une belle pierre plate que tu nettoies bien et place-la sur les braises vives de ton feu.

2 Quand elle est bien chaude, casse ton œuf dessus.

3 Laisse-le cuire quelques minutes.

4 Déguste ton œuf mais sans toucher à la pierre car elle est très chaude !

 Œuf cendré

La plus simple façon de faire cuire un œuf est de le mettre dans les cendres du feu.

1 Tiens ton œuf de façon à ce que la partie la plus ronde soit au-dessus.

2 Avec la pointe de ton couteau et d'un petit coup sec, fais un trou dans la coquille pour percer la poche d'air.

3 Retourne l'œuf et pose-le dans les cendres du feu encore chaudes.

4 Il sera cuit 1 à 2 minutes plus tard.

ŒUF À LA BROCHE

Fais bien attention de ne pas casser l'œuf en le perçant.

1 Prends ton œuf et perce, toujours d'un petit coup sec, les deux extrémités avec la pointe de ton couteau.

2 Embroche ton œuf avec une brochette métallique ou une fine branche écorcée.

3 Fais-le cuire en tenant la brochette à l'horizontale, très près des braises.

Le sais-tu ?

Pour savoir si un œuf est frais, tu as plusieurs solutions :

• **Casse-le dans une assiette. Le jaune doit être bombé et brillant. Le blanc doit former 2 parties : la première forme un cercle autour du jaune, la seconde s'étale autour.**
• **Moins pratique, mais très efficace, la méthode par immersion. Plonge l'œuf dans une solution d'eau salée de 120 g par litre. L'œuf frais tombe au fond, la partie la plus bombée est en haut, et y reste. L'œuf peu ou pas frais remonte à la surface... Eh oui !**

Faire son pain

Un pain tout frais et croustillant accompagnera tes repas.
Cette activité prend du temps, mais le résultat en vaut
vraiment la peine.

La préparation de la pâte

1 Mélange bien tous les ingrédients.

2 Pétris ta pâte pour qu'elle soit bien
élastique.

3 Laisse-la lever pendant au moins 2 heures
dans un récipient couvert d'un torchon propre.
Tu peux aussi la laisser lever en l'enfermant
dans un sac en plastique.

4 Quand elle a levé, pétris à nouveau
ta pâte de cette façon : décolle-la des
bords de ton récipient afin de former
une boule, ramène-la vers toi en la
pliant, écrase fort le pli que tu as
formé. Recommence de nombreuses
fois en farinant tes mains.

Il te faut

Pour 1 petit pain

- 300 g de farine
- 1 cuillerée à café de sel
- 1 cuillerée à café de levure chimique ou de levure de
boulanger
- 1 cuillerée à soupe d'huile
- 5 cuillerées à soupe d'eau

MALIN !

Tu peux pétrir dans ton récipient
ou sur une pierre plate que tu auras
d'abord nettoyée et recouverte
d'une feuille de plastique.

La cuisson

Selon l'endroit où tu te trouves et le matériel dont tu disposes,
tu peux faire cuire ton pain de plusieurs façons :

À la broche

➜ Tu peux faire cuire ton pain au-dessus des braises vives. Dans ce cas,
donne-lui la forme d'un long et fin boudin que tu enroules autour d'une
branche écorcée. Ou encore d'une galette que tu embroches sur une fourche
en bois.

En galette

➜ Forme des petites crêpes et dispose-les sur un lit de braises. Attention !
Il ne faut pas qu'il y ait de flammes, ton pain risquerait de brûler. Fais-les
cuire des deux côtés. Ce mode de cuisson est le plus efficace et le plus rapide.

Au four

➜ Si tu es dans une structure de camping à la ferme, ton pain pourra
également être cuit dans le four de la ferme.

Pain PERDU...
Mais Pas POUR tOUS !

Tu n'as pas fini ton pain, et maintenant
il est rassis. Surtout ne le jette pas.
C'est l'occasion de faire du pain perdu !

Il te faut

Pour 6 tranches de pain

- 1/2 l de lait
- 2 œufs
- 50 g de sucre en poudre
- 2 cuillerées à soupe de sucre vanillé
- 100 g de beurre

1 Bats les œufs avec le sucre jusqu'à ce que
le mélange blanchisse. Puis incorpore le lait.

2 Fais tremper les tranches de pain rassis dans ta préparation pendant quelques
minutes, puis égoutte-les.

3 Mets du beurre dans ta poêle et fais chauffer à feu doux. Fais revenir les tranches
de pain jusqu'à ce qu'elles soient bien dorées de chaque côté. Saupoudre de sucre
vanillé ou de cannelle avant de servir. C'est délicieux !

C'est l'heure des desserts

Pour toi, c'est la meilleure partie du repas ? Alors applique-toi afin de régaler tes compagnons avec ces recettes faciles et savoureuses.

Fruits cuits

Tu as envie d'un dessert exotique et fruité ? Suis cette recette d'une très grande simplicité et qui pourtant varie les plaisirs.

Avec une orange :

1 Coupe le dessus de l'orange pour avoir un chapeau.

2 Enfonce un ou deux sucres de canne dans la pulpe.

3 Remets le chapeau par-dessus et enfonce l'orange aux trois-quarts dans de la cendre bien chaude.

4 Laisse cuire environ un quart d'heure.

Avec une pomme :

1 Évide le centre pour enlever le trognon.

2 Mets un ou deux morceaux de sucre de canne à l'intérieur, ou du sucre en poudre.

3 Entoure la pomme de papier d'aluminium en la gardant droite et mets-la dans les cendres très chaudes.

4 Laisse cuire 20 à 25 minutes.

CHAMALLOWS GRILLÉS

La brochette la plus connue des enfants et la plus aimée des gourmands a toujours sa place lors d'un feu de veillée.

1 Fabrique de fines brochettes en bois en écorçant des branches.

2 Pique un ou deux chamallows sur une brochette (tu peux avoir une brochette dans chaque main).

3 Approche les chamallows du feu, mais sans les faire griller, en les tournant de tous les côtés. Ils vont fondre de l'intérieur. Quand les chamallows commencent juste à roussir, ils sont prêts.

HARMONIE EN ROUGE ET OR

Selon ce que tu peux cueillir dans la nature (mûres, myrtilles, prunes…) et trouver sur les marchés (fraises, framboises, figues, pêches, abricots, mirabelles…), compose une salade de fruits frais qui jouera des nuances de l'or et du rouge !

1 Lave les fraises, équeute-les et coupe-les en deux. Par contre, évite de laver les framboises et les myrtilles.

2 Coupe deux pêches en morceaux et mélange-les aux fraises et aux autres fruits rouges.

3 Ajoute un demi-verre d'eau et un peu de sucre.

4 Mélange l'ensemble en tournant délicatement deux ou trois fois, et déguste, avec ou sans petits gâteaux secs.

Attention !

Ne ramasse pas toutes les baies que tu trouves dans la nature car nombreuses sont toxiques. Demande à un adulte s'il sait ce que c'est avant de décider de les manger. Quand tu cueilles des baies comestibles, choisis celles qui ne se trouvent pas au ras du sol ; elles n'auront pas été touchées par des animaux éventuellement porteurs de la rage.

61

Astuces de survie

Tu as oublié tes allumettes, tu es loin de toute source de provision et d'eau potable... ? Pas de panique ! Utilise ces astuces et tes problèmes seront résolus. Tu pourras alors te vanter d'être un parfait trappeur.

Cuire sans feu

Cuisiner avec le soleil, c'est plus long qu'avec un feu mais cela peut être parfois très utile.

Prends ta gamelle en aluminium, ou un simple bol dont tu tapisses l'intérieur de papier aluminium.
Oriente le récipient face au soleil, en plein midi et dans un endroit sans vent. Laisse-le chauffer pendant 20 minutes.
Quand il est bien chaud, casse un œuf dedans et laisse cuire encore quelques minutes au soleil !

dommage ! il me restait une allumette !

Le sais-tu ?

L'homme n'a pas toujours su maîtriser le feu. Il y a 1 million d'années, on sait que *homo ergaster* apprend à capturer et entretenir les flammes naturelles. Mais c'est bien plus tard que l'homme sait produire le feu. Les traces des foyers les plus anciens remontent à 450 000 ans environ. Ce sont les Néandertaliens qui en généralisent l'emploi.

ASTUCE

Si tu n'as pas d'allumettes, allume un feu à l'aide de ta loupe en tenant celle-ci à 5 cm au-dessus d'un tas de fines brindilles et de feuilles sèches. Oriente la loupe en direction du soleil et ne bouge pas. Il faut être patient car cela peut prendre du temps, mais ça marche !

Récupérer l'eau de la nature

La pluie et la rosée sont à ta portée pour avoir un peu d'eau :

➔ Quand il pleut, laisse dehors, dans un endroit dégagé, tous les récipients dont tu disposes. Tu auras ainsi de l'eau de pluie.

➔ La nuit, profite de la rosée. Creuse un trou en V très évasé, se terminant par un trou plus profond au centre de façon à pouvoir y placer un récipient propre. Recouvre le trou avec une bâche en plastique (sac poubelle) en la faisant adhérer aux parois de la pente. Maintiens les bords avec de gros cailloux, et dispose un autre caillou au centre. 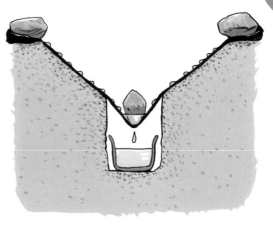 Tu auras au préalable découpé un petit trou au milieu de ta bâche pour que l'eau puisse s'écouler dans le récipient. Tu peux boire l'eau récupérée ainsi en toute tranquillité.

SOUPE D*ORTIES

C'est une soupe très énergétique car l'ortie contient des vitamines, des sels minéraux et du fer en grande quantité.

1 Cueille des orties à l'aide d'un torchon ou de gants si tu en as.

2 Laisse-les sécher. Ne t'inquiète pas, les poils urticants sont éliminés lors du séchage de la plante.

3 Coupe-les en tout petits morceaux.

4 Fais-les cuire 10 minutes (sans bouillir) dans du lait ou dans de l'eau.

5 Avec un peu de sel, c'est meilleur ! Tu peux également rajouter des flocons d'avoine, la soupe sera encore plus énergétique.

Artistes en herbe

Sculpter son bâton de marche et tenir un journal font partie des activités de tout bon randonneur. Fabrique-toi aussi une tenue de camouflage pour observer les animaux sans qu'ils te repèrent !

Ton journal

Pour te souvenir de tes promenades et de tes découvertes dans la nature, remplis ton journal de bord chaque jour en prenant un cahier ou un gros carnet à spirale. Tu attacheras un stylo à la spirale avec une petite ficelle.

Raconte :

- les astuces dont tu t'es servi,
- tes expériences de trappeur,
- tes découvertes dans la nature,
- les rencontres que tu as faites (randonneurs, fermiers, artisans, etc.)

Dessine :

- les animaux observés,
- les arbres, les fleurs, les fruits,
- les maisons originales des villages, les clochers, les anciennes halles de marché, etc.

Glisse dedans :

- tes récoltes (feuilles, fleurs, mousses, plumes, jolies pierres, etc.),
- tous les souvenirs que tu veux rapporter chez toi (tickets de train et de visite de lieux touristiques, prospectus, recettes, etc.)

DEVIENS SCULPTEUR

Ton bâton de marche sculpté restera ta propriété : tu peux y graver ton nom et de jolis motifs tout le long.

→ Ton bâton doit être à la bonne longueur, c'est-à-dire t'arriver à la taille.

→ Choisis-le assez épais et solide, et le plus droit possible.

→ Quand tu sculptes, guide toujours ton couteau vers l'extérieur. N'utilise pas non plus la lame dans le sens où elle peut se replier.

Un vrai camouflage

Pour surprendre les animaux sauvages dans leur habitat, la première règle à respecter est de **marcher calmement, sans casser de branches et en silence**. Mais tu dois aussi **masquer ton odeur**. Un bon conseil : camoufle tes habits avec des feuilles et des mousses. De cette façon, tu porteras sur toi l'odeur de la terre et de la forêt.

→ Ramasse des feuilles sèches et cueilles-en quelques fraîches.

→ Pique-les sur ton chandail à l'aide de fines brindilles passées en travers. Si tu restes en tee-shirt, compose des guirlandes de feuilles. Pour cela, enfonce chaque pédoncule dans le limbe de la feuille suivante. Puis, passe la guirlande autour de toi.

→ Ramasse aussi de la mousse et fixe-la sur certaines feuilles.

→ Fabrique une couronne de feuilles et pose-la sur ta tête.

Parties de campagne

Il fait beau, vous êtes plusieurs à vouloir jouer. Voici quelques idées de jeux collectifs à pratiquer dehors, en pleine nature. Vous n'aurez besoin que de peu de matériel.

La balle en rond

6 joueurs minimum
1 ou 2 ballons

→ Ce jeu simple et amusant se joue à plusieurs. Le mieux est d'être plus de 6.

→ Placez vous en cercle, éloignés à 2 ou 3 m les uns des autres. Les joueurs se lancent le ou les ballons le plus vite possible, sans ordre précis.

→ À chaque fois qu'un joueur rate le ballon, il a 1 point. Au bout de 3 points, il est éliminé. Les autres joueurs peuvent aussi lui donner un gage.

→ Le gagnant est celui qui a le moins de fois laissé tomber la balle.

Poule-renard-vipère

3 équipes de 6 joueurs au minimum
1 foulard par joueur / 3 couleurs de foulards

→ Ce jeu se joue en 3 équipes de 6 joueurs au minimum. Chaque équipe a une couleur. Chaque enfant porte le foulard de la couleur de son équipe.

→ Les 3 équipes sont : **1** les poules **2** les renards **3** les vipères

→ Chacune des équipes se fait un camp. Le mieux est de les disposer en triangle.

→ Les joueurs d'une équipe doivent attraper les joueurs d'une autre équipe en respectant la règle suivante : • Les poules attrapent les vipères
  • Les vipères attrapent les renards
  • Les renards attrapent les poules

→ Dès qu'un joueur en attrape un autre, celui-ci devient prisonnier et va dans le camp adverse. Il peut se faire délivrer. Pour cela, il suffit qu'un joueur de son équipe vienne lui taper dans la main. S'il y a plusieurs prisonniers, ils peuvent former une chaîne à condition que le dernier ait encore un pied dans le camp adverse. Lorsque le premier joueur se fait taper dans la main, c'est toute la chaîne qui est délivrée !

→ Le jeu se termine lorsque toute une équipe a été attrapée.

LA TOMATE

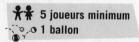 👫 5 joueurs minimum
🔴 1 ballon

→ Les joueurs se placent en cercle, les jambes écartées. Les pieds de chaque joueur doivent toucher un pied du voisin de droite et un pied du voisin de gauche.

→ Le but du jeu consiste à ne jamais laisser passer le ballon entre ses jambes.

→ Un premier joueur se penche en avant et fait rouler le ballon en se servant de ses bras tendus comme d'un balancier, les poings fermés.
Dès que le ballon approche des jambes d'un joueur, celui-ci doit le renvoyer de la même façon. Attention ! Le ballon ne doit jamais quitter le sol.

• Si le ballon passe entre les jambes d'un joueur, il n'a plus le droit de se servir que d'une seule main pour repousser le ballon. Il doit placer l'autre derrière son dos.

• Si le ballon passe une deuxième fois entre les jambes de ce joueur, il doit se retourner et faire ainsi dos au cercle. Il peut utiliser à nouveau ses deux mains pour renvoyer le ballon.

• Si le ballon franchit une troisième fois les jambes de ce même joueur, il reste retourné et n'a plus le droit de se servir que d'une main pour renvoyer le ballon.

• Si le ballon passe une quatrième fois entre les jambes de ce même joueur, il est éliminé du jeu.

Il existe une version plus courte de ce jeu :

• Si le ballon passe une fois entre les jambes d'un joueur, celui-ci ne peut renvoyer le ballon qu'avec une seule main.
• Puis, si le ballon passe une deuxième fois entre les jambes de ce même joueur, ce dernier est éliminé.

La thèque

2 x 15 joueurs maximum
1 balle (mousse, tennis...), 1 thèque ou 1 long bâton de bois

Ce jeu ressemble beaucoup au base-ball, mais en version simplifiée.

→ Formez 2 équipes de 15 joueurs au maximum.
Délimitez un terrain d'environ 30 x 20 m (1 grand pas d'adulte fait environ 1 m).

Préparation du terrain :

→ À 3 m environ de l'extrémité du terrain, tracez un cercle d'1 grand pas de diamètre. C'est le rond du chien. Délimitez-le avec des piquets ou des cailloux ou un cerceau si vous en avez un.
→ Puis tracez 5 autres cercles régulièrement espacés, de façon à ce qu'ils forment un pentagone.

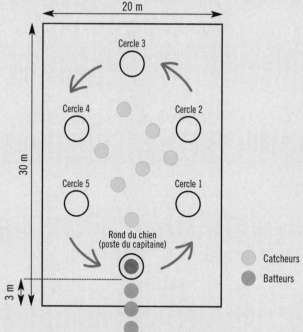

Le jeu :

→ Les joueurs se répartissent en 2 équipes égales : l'équipe des batteurs et celle des catcheurs.
- Les **catcheurs** se placent où ils veulent sur le terrain. L'un d'eux se poste devant le poste du capitaine.
- Les **batteurs** se placent en file derrière le poste du capitaine.
Le capitaine n'a pas le droit de sortir de son cercle.

→ Le premier batteur de la file prend sa thèque en main. C'est lui qui va ouvrir le jeu.

→ Le capitaine lance la balle vers le batteur. Celui-ci doit la renvoyer le plus loin possible avec sa thèque. S'il la manque, il peut recommencer 2 fois, à condition qu'il n'ait pas lâché la thèque. Autrement, il cède son tour au batteur suivant.

→ Quand le batteur a réussi à renvoyer la balle, il doit courir très vite jusqu'au cercle 1, puis 2, puis 3, etc. Pendant ce temps les catcheurs essaient de rattraper la balle.
Dès qu'ils l'ont attrapée, ils doivent se faire des passes de façon à la renvoyer au joueur posté devant le capitaine. Dès que ce joueur la réceptionne, il doit la poser aux pieds du capitaine.

→ Tant que la balle n'a pas été déposée, le batteur continue de courir (le but étant de faire le tour complet du terrain). Il lui faut impérativement se trouver dans un cercle au moment où le dernier catcheur déposera la balle aux pieds du capitaine. Sinon, il reprendra sa place dans la file des batteurs. Ses équipiers peuvent lui dire quand s'arrêter de courir.

Points :

→ Quand un batteur fait un tour en une seule fois, il fait marquer 5 points à son équipe.

→ Quand il le fait en plusieurs fois, ce qui est le cas le plus fréquent, l'équipe marque 1 point.

→ Au bout d'un quart d'heure ou d'une demi-heure, selon le temps que vous vous êtes donné, on intervertit les équipes : les batteurs deviennent catcheurs et vice versa. L'équipe qui a marqué le plus de points a gagné.

Jeux de piste

🚶🚶 10 joueurs minimum et plus on est mieux c'est !

Il existe quantité de variantes aux jeux de pistes. Le principe en est simple. Un meneur de jeu a au préalable défini un parcours en plusieurs étapes, avec un point de départ et un point d'arrivée. Deux ou plusieurs équipes s'affrontent pour tenter d'arriver la première. Il se peut qu'à la fin du parcours, un trésor vous y attende !

→ À chaque étape, le meneur de jeu a laissé un indice qui permet à l'équipe, une fois qu'elle l'a déchiffré, d'avancer jusqu'à l'étape suivante.

→ Avant de commencer une partie, il faut délimiter un terrain de jeu, connu de tous les joueurs, de façon à ce que personne ne se perde ou ne cherche des indices là où il ne peut y en avoir. De la taille du terrain dépendent à la fois la durée du jeu et ses possibilités.

→ Avant de commencer, il faut également expliquer aux joueurs en quoi consiste le jeu et quel est le type d'indices à trouver. Ne partez pas sans une bouteille d'eau, de quoi manger et vous couvrir en cas de pluie.

→ Le meneur de jeu part le premier et laisse des indices de son passage.

Nature des indices :

→ Il peut utiliser des marquages au sol, soit en dessinant dans la terre, soit en se servant de cailloux ou de morceaux de bois.
→ Il peut aussi tracer à la craie les indications sur le tronc des arbres.

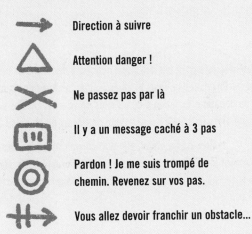

Direction à suivre

Attention danger !

Ne passez pas par là

Il y a un message caché à 3 pas

Pardon ! Je me suis trompé de chemin. Revenez sur vos pas.

Vous allez devoir franchir un obstacle...

→ Il peut aussi partir avec du papier crépon de couleur, et en attacher de fines bandelettes aux branches des arbres. Chaque couleur peut aussi avoir une signification précise. Dans ce cas, il ne faut pas oublier de fournir aux joueurs la signification des codes avant de partir.

Messages cachés :

Attention ! Il se peut que vous soyez surpris par la pluie. Protégez vos messages dans un morceau de plastique de façon à ce qu'ils demeurent compréhensibles pendant toute la durée du jeu.

Les messages cachés peuvent offrir des jeux de toutes sortes :

→ Résoudre une énigme dont la solution permet de se rendre à l'étape suivante.

→ Message codé : l'équipe doit trouver le code qui permet de déchiffrer le message. (code rébus, message rédigé en morse, écrit à l'envers, en inversant des syllabes, etc.)

→ Récolter divers éléments avant de passer à l'étape suivante.

→ Il se peut aussi que le message demande d'aller en chercher un second plus difficilement accessible. L'un des membres de l'équipe devra par exemple grimper à un arbre ou se faufiler dans un passage difficile, ou pire...

→ Laissez libre cours à votre imagination.

À vos marques...

→ Au départ, chaque équipe reçoit une enveloppe contenant le premier message. Les équipes peuvent partir ensemble, mais le mieux est de les faire partir avec un quart d'heure ou une demi-heure de décalage de façon à ce qu'elles ne se trouvent pas sur les mêmes lieux en même temps. Il faut alors inscrire l'heure exacte de départ de chacune des équipes !

→ Si une équipe reste bloquée à une étape, elle doit pouvoir avoir recours à une aide extérieure. Un adulte peut jouer ce rôle en effectuant régulièrement des visites aux différentes équipes. Évidemment, une équipe qui ne sera pas parvenue à déchiffrer le message recevra des points de pénalité.

Tromper l'ennui par temps de pluie

Ce n'est pas de chance ! Il pleut du matin au soir...
Plutôt que de ronchonner, profitez de ces moments de repli
forcés pour créer des jeux de société et vous lancer dans
des parties endiablées.

Le MEMORY GOBELETS

Tu connais le célèbre jeu de Memory, qui consiste à essayer de
retrouver des paires de cartes alors que toutes les cartes sont
posées face contre table ? Aujourd'hui, tu n'as pas de cartes avec toi
et tu es en pleine nature. Si tu as
un paquet de gobelets en carton
ou en plastique blanc, tu es tiré
d'affaire.

et comment je bois maintenant ?

➜ Profite d'une éclaircie pour aller ramasser
des éléments variés, petits et toujours par
paires : 2 feuilles, 2 brindilles, 2 cailloux,
2 morceaux d'écorce, 2 fleurs, 2 morceaux
de mousse, etc. N'hésite pas à faire preuve
d'imagination.

➜ Une fois tous tes éléments recueillis,
sèche-les si besoin, puis place-les sur une
table ou sur le sol de ta tente et recouvre
chacun d'eux d'un gobelet.

➜ La partie peut commencer : celui qui parviendra à reconstituer le plus grand nombre
de paires aura gagné !

LES AMBASSADEURS

Cette fois-ci, il n'est nul besoin de fabriquer quoi que ce soit pour pouvoir jouer. Un stylo et une feuille de papier suffisent.

→ Les joueurs se répartissent en 2 équipes. L'un des joueurs ne joue pas mais est le meneur de jeu.

→ Le meneur note sur une feuille de papier 12 mots plus ou moins difficiles à faire mimer.

→ Chaque équipe envoie un représentant, son ambassadeur, auprès du meneur de jeu qui lui dit à l'oreille le premier mot à mimer.

→ Les ambassadeurs reviennent alors dans leur équipe et doivent – en le mimant seulement – faire deviner aux membres de leur équipe le mot en question.

→ Dès qu'un joueur découvre le mot, il va voir le meneur de jeu pour qu'il lui donne un mot à faire deviner à son tour. Et ainsi de suite, jusqu'à ce que les 12 mots soient trouvés.

→ L'équipe gagnante est celle qui a trouvé en premier tous les mots de la liste.

Au crime ! À l'assassin !

→ Il faut être plusieurs pour pouvoir jouer, au moins 5 pour que cela soit drôle.

→ Découpez une feuille de papier en autant de morceaux que de joueurs. Pliez les morceaux de papier en 4.

→ Sur l'un d'eux, dessinez un poignard, sur un autre, dessinez une loupe. Le poignard désigne l'assassin, la loupe le détective. Placez tous les morceaux de papier dans un récipient, un chapeau ou un sac...

→ Chacun à son tour en pioche un. Celui qui tire la loupe s'éloigne : c'est le détective.

→ Chacun prend une place qu'il ne quittera plus.

→ Maintenant éteignez toutes les lumières. Il faut que vous soyez dans l'obscurité complète. Celui qui a tiré le papier avec le poignard touche un joueur. Celui-ci s'écroule par terre. L'assassin reprend sa place.

→ Le détective rallume les lumières et entre alors en scène.

Il peut poser toutes les questions qu'il souhaite aux joueurs. Chaque joueur doit dire la vérité, sauf l'assassin qui a le droit de mentir.

→ Le détective n'a le droit de proposer qu'une seule réponse : la bonne... enfin on le lui souhaite !

QUI SUIS-JE ?

Là encore, vous n'avez besoin que d'un simple morceau de papier et d'un stylo.

→ Ce jeu se joue à plusieurs. Asseyez-vous en cercle. Chaque joueur en choisit un autre et va inscrire sur un morceau de papier qui il est : acteur ou actrice célèbre, animal, homme ou femme politique, peintre, ami(e), écrivain, professeur, etc. Puis il colle son nom sur son front (le joueur concerné ne doit pas savoir qui il est).

→ La partie peut commencer.

→ Chacun, à son tour, pose une question pour tenter de découvrir son identité : Est-ce que je suis une femme ? Est-ce qu'on peut me voir au cinéma ? Suis-je encore en vie ? L'ai-je déjà rencontré ? etc.

→ La partie s'achève quand tout le monde a découvert qui il était. Le gagnant est celui qui s'est reconnu le premier.

Le mikado des bois

Tu n'as pas songé à emporter un mikado ?
Tu as eu raison. Inutile de se charger quand on a des brindilles à portée de la main !

→ Ramasse des brindilles les plus droites possibles.

→ Taille-les avec ton couteau de façon à ce qu'elles fassent toutes la même longueur. Au total, il t'en faut 51.

→ Trace à l'aide d'un feutre ou d'un marqueur :

• 5 rayures	sur 1 brindille	la brindille vaut 20 points
• 4 rayures	sur 5 brindilles	chaque brindille vaut 15 points
• 3 rayures	sur 10 brindilles	chaque brindille vaut 10 points
• 2 rayures	sur 15 brindilles	chaque brindille vaut 5 points
• 1 rayure	sur 20 brindilles	chaque brindille vaut 1 point

→ Si tu n'as pas de feutre ou de marqueur, sers-toi de ton couteau pour faire les marques.

→ Une fois ton jeu de mikado prêt, prends-le dans la main et lâche les brindilles d'un seul coup.

→ Il faut enlever les brindilles une à une sans faire bouger les autres. Dès qu'il en fait bouger une, le joueur repose la brindille concernée et cède la place au joueur suivant.

→ Le gagnant est celui qui totalise le plus grand nombre de points.

DES CAILLOUX POUR LES DAMES

Au cours de tes promenades, tu peux passer par des sentiers ou des chemins caillouteux. Fais comme le Petit Poucet. Ramasses-en plein les poches, de préférence des très clairs et des très foncés. Tu pourras en faire les pions de différents jeux de société, notamment les pions d'un jeu de dames.

→ Pour faire le plateau de jeu, trace sur le sol un carré de 10 x 10 cases. Noircis 1 case sur 2. Chaque joueur possède 20 cailloux, ou pions. L'un a 20 cailloux clairs, l'autre 20 cailloux foncés.

→ Les joueurs sont face à face. Chaque joueur place ses pions-cailloux sur les 2 premières rangées devant lui. Chacun joue à son tour. Les clairs commencent.

Les pions

Ils se déplacent d'une case vers l'avant en diagonale (on ne joue que sur les cases foncées). Un pion qui arrive sur la dernière rangée et s'y arrête devient une dame. On le couvre alors d'un pion de la même couleur.

La dame

Elle se déplace sur une même diagonale d'autant de cases qu'elle le désire, en avant et en arrière. Son mouvement est seulement limité par les autres pièces sur le damier.

Pour prendre avec un pion, il faut :

1. être placé à côté d'un pion adverse, puis 2. sauter par dessus le pion adverse et se rendre sur la case vide située derrière celui-ci, et enfin 3. ôter le pion sauté. Il faut obligatoirement prendre un pion quand on peut le prendre.

→ La partie est terminée quand tous les pions d'un joueur ont été mangés, ou quand la situation est bloquée. À vous de jouer.

Se soigner

**Ne laisse pas les petits bobos te gâcher ton séjour.
En les soignant rapidement, tu éviteras qu'ils s'infectent
et s'aggravent. Courage donc ! Il vaut mieux agir de suite.**

Les petites blessures

→ Les ampoules :

- **Évite de les percer.** Elles vont se résorber toutes seules. Tu peux mettre
une crème apaisante dessus, et par-dessus un pansement assez large et
peu serré. Il existe même des pansements spéciaux pour les ampoules.
- Si elles se crèvent toutes seules, **désinfecte-les** et protège-les avec
un pansement. Tu peux couper le morceau de peau qui se soulève,
la cicatrisation sera plus rapide. Mais attention à bien désinfecter les lames
de tes ciseaux ou de ton coupe-ongles.

→ Les coupures :

- Quand elles sont légères, **désinfecte la plaie** (lave-la en premier si elle est
pleine de terre) et mets un pansement. Tu changeras le pansement au moins
une fois par jour, surtout s'il est mouillé.
- Quand elles sont plus profondes et nécessitent l'intervention d'un médecin
(points de suture par exemple), rapproche les deux côtés de la plaie avec
des bandelettes de suture stériles.

→ Les brûlures :

- En premier **passe la brûlure sous l'eau fraîche** pendant un long moment,
le temps que la température s'abaisse au niveau de la blessure.
Si tu as de la glace, place-la dans un mouchoir en tissu et colle-la sur
la plaie. L'eau fraîche ou la glace empêchent la formation de cloques.
- Si elles apparaissent tout de même, surtout **ne les perce pas**.
Étends une bonne couche de crème apaisante, sans frotter, et entoure
le tout avec un pansement, une compresse ou un bandage.

→ Les échardes :

- Prends de suite ta pince à épiler pour **retirer les échardes de bois**, puis **désinfecte**. Quand l'écharde est très enfoncée, il faut agrandir le trou à l'aide d'une aiguille stérilisée (passe-la dans une flamme). De la même façon, tu enlèveras les petits bouts d'écharde si elle se casse au moment où tu la retires.

→ Les piqûres d'insectes :

- Si tu es sensible aux piqûres d'insectes, n'oublie pas d'emporter dans ton sac un spray antimoustiques et une crème antidémangeaisons. Il existe des produits à vaporiser également sur les vêtements, et tout produit antimoustiques est généralement efficace sur les autres insectes. Lorsque tu te fais piquer, **étale tout de suite une goutte de vinaigre sur la piqûre**, cela te soulagera.
- Quand tu vas camper dans une forêt réputée pour la grande faune qui y vit (cerfs, chevreuils, sangliers, renards…), emporte aussi une crème antitiques que tu étaleras sur les poignets, aux aisselles et aux chevilles.

→ Les entorses :

- Quand on se tord la cheville, il vaut mieux limiter l'inflammation. Ne force donc pas et suis ces conseils :
• Si tu dois continuer à marcher quelque temps pour atteindre ton camp : **n'enlève pas ta chaussure ni ta chaussette**. **Entoure-les d'un vieux foulard** en le passant derrière la cheville. Croise ensuite au-dessus du pied puis passe sous ta semelle, et reviens sur ton pied pour faire le nœud. Cela maintiendra ta cheville serrée. **Marche lentement** ensuite en regardant bien où tu mets les pieds.
• Arrivé au camp : **enlève chaussure et chaussette avec précaution** et mets de la glace ou de l'eau froide sur l'entorse. Applique ensuite une crème anti-inflammatoire dessus.

→ Saignements de nez :

Il faut t'asseoir, la tête penchée en avant afin d'empêcher le sang de couler dans la gorge et de t'étouffer. **Pince-toi fort le nez** pendant 2 à 5 minutes pour comprimer le vaisseau qui a éclaté. Tu seras obligé de respirer par la bouche. Relâche ton nez puis recommence jusqu'à ce que le sang ne coule plus.

Que faire en cas d'urgence ?

Certains accidents graves nécessitent l'intervention d'un médecin. Mais avant d'atteindre le service des urgences, des gestes peuvent sauver la situation. Apprends-les et reste calme pour mieux réfléchir à la façon d'intervenir.

Principes de base

En premier lieu, on ne déplace jamais un blessé sauf s'il faut l'éloigner d'une source de danger (route, incendie, etc.) S'il faut le déplacer, il faut le tirer par les chevilles en veillant à respecter l'axe de son corps. On peut aussi se placer derrière le blessé, passer les bras sous ses aisselles et le tirer doucement en tenant ses poignets.

Une de tes premières préoccupations doit être de donner l'alerte. Tu disposes de trois numéros d'urgence auxquels il ne faut jamais hésiter à recourir. Ce sont :
- le SAMU (Service d'Aide Médicale Urgente) (15)
- la police (17)
- les pompiers (18).
Explique-leur ce qui se passe et n'oublie pas de leur fournir les coordonnées les plus précises possibles de l'endroit où tu te trouves.

Feu :

Tes vêtements prennent feu, **ne cours pas** car cela avive le feu. **Enroule-toi vite dans une couverture** ou **roule-toi par terre** pour étouffer les flammes. Si ta peau est brûlée, ne retire surtout pas tes vêtements car la peau peut partir avec, mais passe de l'eau froide dessus le temps d'abaisser la température, et demande que l'on te conduise vite à l'hôpital.

Hémorragie :

C'est une plaie qui saigne beaucoup et continuellement. Ne te laisse pas impressionner, ce n'est peut-être pas grave mais il faut tout de même y remédier rapidement. **Appuie très, très fort sur la plaie** avec une compresse ou un tissu pour arrêter le sang. **Maintiens ensuite la compresse avec un bandage.**

Malaise :

On peut tomber dans l'inconscience pour de multiples raisons (hypoglycémie, déshydratation, fatigue, forte émotion).
Il faut **allonger la personne par terre**, lui **mettre les jambes en hauteur** et lui **passer sous le nez de l'alcool de menthe** pour la faire revenir à elle. Tu peux aussi lui tapoter les joues. Lui donner ensuite un verre d'eau et un sucre ou du chocolat.

Hypothermie :

Cela arrive quand on est mouillé et qu'il fait froid, ou en été quand on se baigne dans de l'eau glacée, comme dans une rivière par exemple. **Il faut faire remonter la température du corps** le plus vite possible en se couvrant de vêtements secs et chauds ou en s'enveloppant dans un sac de couchage. Il faut ensuite absorber une boisson chaude à petites gorgées.

Noyade :

Une fois sortie de l'eau, allonge la personne sur le dos en lui mettant la tête le plus en arrière possible. Bouche-lui le nez en le pinçant, ouvre-lui la bouche en tirant sur le menton. Prends une profonde inspiration et pose ta bouche contre celle de la victime en soufflant l'air sans à-coups. Retire ta bouche pour laisser les poumons de l'autre personne se vider, puis recommence autant de fois que nécessaire, jusqu'à ce que la personne tousse et revienne à elle.

Fracture :

Immobilise le membre cassé en l'attachant (en bandoulière pour un bras, le long de l'autre jambe ou avec une attelle pour une jambe). Pense à mettre du rembourrage autour de la partie atteinte (chaussettes, mouchoirs, couvertures) et à couvrir la personne pour qu'elle ait bien chaud, car le corps se refroidit très vite quand il est immobile.

Vérifications et rangements

**Ton matériel de randonnée te servira plusieurs fois.
Il faut donc soigneusement l'entretenir, puis le ranger,
afin de toujours le garder en bon état.**

Défais ton sac

Tout ce que tu as entassé dedans pendant quelques jours a besoin, soit d'être
aéré, soit d'être lavé, ou bien encore rangé dans les placards.
Vérifie que tu n'as rien oublié dans les multiples poches.
Effectuer toutes ces tâches est important, elles font autant partie de
la randonnée que le voyage en lui-même.

→ Sors le sac de couchage de sa housse. S'il est en fibres synthétiques,
lave-le à la machine. S'il contient du duvet, assure-toi qu'il peut être nettoyé
à sec et, dans ce cas, dépose-le au pressing. S'il ne peut être nettoyé, pense
à bien le faire sécher et à l'aérer.

→ Lave et essuie bien tout le matériel qui t'a servi pour les repas, et range-le dans un sac hermétique.

→ Regarde attentivement tes vêtements sales, et repère les différentes taches. Tu pourras les enlever en suivant certaines astuces (cf. p. 82-83).

→ Avant de ranger ta lampe de poche ou ta lampe frontale, pense à enlever les piles. Fais de même pour tous les autres appareils fonctionnant avec des piles.

→ Rassemble toutes tes petites récoltes pour continuer ton carnet de randonnée.

→ Lave aussi ton sac de randonnée puis range-le jusqu'à ta prochaine expédition.

Vérifie l'état de ta tente

Il est utile de la déplier en entier, afin de la faire sécher et de s'assurer qu'aucune partie n'est décousue (sinon, raccommode-la). Si tu aperçois un accroc, répare-le tout de suite avec de la toile de tente pour que celle-ci reste imperméable. Prends le temps de bien brosser le tapis de sol. Si celui-ci est perforé, bouche le ou les trous avec des rustines ou de la toile thermocollante. Une fois bien nettoyée et aérée, replie la tente et range-la dans un endroit sec et bien ventilé.
En appliquant ces précautions, tu conserveras ta tente plusieurs années.

À nettoyer

Une fois rentré à la maison, tu as le temps de mieux nettoyer tes affaires de randonnée. Profites-en pour dresser un inventaire de ton matériel et voir quels sont les objets complémentaires dont tu auras besoin la prochaine fois.

→ **Les chaussures :** un bon brossage est nécessaire. Mais si elles sont trop boueuses, il est préférable de les nettoyer avec une éponge humide.

→ **Le couteau :** ton couteau a aussi besoin de tes bons soins. Nettoie-le, aiguise-le, et graisse son mécanisme.

Des taches qui attachent

Après une randonnée, il est normal que tous tes vêtements soient sales. Une bonne lessive t'attend donc en rentrant ! Mais attention, certaines taches résistent plus que d'autres, il te faudra ruser pour les enlever.

Des plus bénignes...

Pollen et cendre

Ton premier réflexe doit être de secouer ton vêtement pour enlever le plus gros. S'il en reste, ne mouille surtout pas la tache. Frotte-la au contraire avec un chiffon sec (mouchoir, torchon). Passe ensuite le vêtement à la machine.

Chocolat

Gratte la tache avec la pointe d'un couteau. Le reste s'en va très bien quand on le frotte avec du savon de Marseille presque sec (humidifie-le très légèrement). Laisse agir toute la nuit et lave ensuite normalement.

Graisse

Le plus simple est d'humecter la tache avec de la lessive liquide, de laisser agir toute la nuit puis de laver à l'eau chaude. Si les taches sont rebelles, achète de la terre de Sommières dans une droguerie. Enduis la tache avec, attends une nuit et lave.

Sang

Évite absolument de mettre de l'eau chaude dessus. Le sang ne se dissout que dans l'eau froide, donc laisse ton vêtement tremper une nuit avec un peu de lessive, puis frotte vigoureusement la tache, toujours sous l'eau froide. Quand il n'y a plus de trace, tu peux laver normalement à l'eau chaude.

... aux plus résistantes

Café, thé

Pour une petite surface, laisse tremper avec de la lessive, puis frotte énergiquement. Pour une tache importante et très incrustée, applique dessus du perborate de sodium (que tu achètes au rayon droguerie), mais uniquement si le tissu est en coton blanc. Sur un tissu synthétique ou coton en couleur, applique de la glycérine tiède, laisse agir puis rince avec une eau légèrement vinaigrée.

Fruits

Les taches de fruits, qu'ils soient rouges ou jaunes, sont toujours difficiles à faire partir quand elles sont sèches. La meilleure solution est de laisser tremper le vêtement une nuit dans un vinaigre blanc, puis de le laver en frottant dans une eau à 30 °C maximum afin de ne pas « cuire » la tache. Tu peux aussi la tamponner avec du jus de citron, laisser agir une nuit puis laver.

Herbe

Sur un vêtement de couleur ou synthétique, tamponne la tache avec de l'alcool à 70 °C, ou bien avec du vinaigre blanc, puis lave-le en machine. Sur un tissu en coton blanc, utilise une eau javellisée.

Moisi

L'eau javellisée mangera le moisi sur du coton (laisse tremper pendant 10 minutes puis rince et lave), mais utilise plutôt du vinaigre blanc (deux cuillerées à soupe dans un quart de litre d'eau) pour les tissus synthétiques.

Rouille

Du jus de citron et du sel auront raison de la rouille, si tu laisses agir au moins une heure, et si tu frottes bien en lavant. Si la tache résiste, utilise une lessive contenant des agents blanchissants, mais seulement sur du coton blanc.

Éosine (mercurochrome)

Sur le coton et le lin, utilise de l'alcool à 90 °C et lave à l'eau javellisée. Sur la laine et la soie, laisse tremper dans un bain d'alcool à brûler et d'eau froide (1 volume d'alcool pour 2 volumes d'eau.) Sur les synthétiques, tamponne avec un chiffon imbibé d'un mélange d'alcool à 90 °C et d'eau en parts égales.

Souvenirs, souvenirs

Une fois rentré, les heures passées en randonnée te reviendront en mémoire à chaque fois que tu ouvriras ton journal. Profite de tes moments libres pour t'y replonger, et améliorer activités et expériences !

Une boîte à trésors

Pour tout retrouver, il est nécessaire de bien ranger ! Si tu adoptes une bonne organisation, chaque petit trésor rapporté trouvera sa place :

1 Prends une grande boîte à chaussures vide, ou récupère un petit carton avec couvercle. Habille l'extérieur de la boîte avec un papier de ton choix (papier peint, papier cadeau, papier journal, pages de magazine, etc.)

2 Peins l'intérieur de la boîte d'une couleur assortie à l'extérieur.

3 Découpe des bandes cartonnées un peu plus longues que la largeur de ta boîte (2 cm en plus) et de même hauteur. Peins-les de la couleur que tu as déjà utilisée ou tranche avec une autre couleur.

4 Replie les bandes à 1 cm du bord et place les bandes dans ta boîte de façon à ce qu'elles forment des compartiments.

5 Colle les rebords des bandes cartonnées sur l'intérieur de la boîte. Tu peux mettre autant de bandes que tu le souhaites, et même former un quadrillage.

Tu n'as plus qu'à y déposer tous tes petits souvenirs.

Le carnet de randonnée

Il reste souvent plein de choses que l'on n'a pas eu le temps de coller, découper ou légender pendant le voyage. Tu vas maintenant pouvoir le faire. Équipe-toi de colle, ruban adhésif, ciseaux, règle, stylos et feutres, ce sera un peu comme des devoirs de vacances... mais en beaucoup plus rigolo !

➜ Les feuilles et fleurs sèches sont fragiles. Prends-les délicatement par le pédoncule et colle ce dernier avec un petit bout de ruban adhésif. Mets une toute petite pointe de colle sous l'un des pétales ou sous le bout de la feuille et laisse sécher avant de tourner la page.

➜ Inscris des légendes sous chaque végétal collé et sous chaque dessin pour t'en souvenir quand tu ouvriras ton carnet plus tard.

➜ Explique tes expériences dans le détail, illustre-les si tu t'en sens capable : elles pourront aussi te servir lors de tes prochaines randonnées.

➜ Dispose des feuilles intercalaires blanches entre tes pages si tu as collé quelque chose de chaque côté.

➜ N'oublie pas d'inscrire des informations qui pourraient te sembler évidentes au moment où tu fais ton carnet, mais qui te seront bien utiles quand tu le rouvriras des années plus tard : dates, lieux, itinéraires, etc.

Quand la mémoire flanche...

Tu as oublié le nom d'une plante récoltée, d'un village visité, d'un plat régional... demande à tes parents sans attendre. Plus les souvenirs seront frais, plus tu auras de réponses. Fais aussi un effort pour retrouver les lieux sur la carte, chercher dans les encyclopédies ou dans les livres sur les plantes... tu apprendras encore plus de choses !

CHAPiTRE 2
Observer

Au cours de tes promenades, tu traverses des champs, des bois, des forêts, tu longes des haies ou gravis des montagnes, tu suis des cours d'eau. Découvre toute la richesse de la faune et de la flore de ces endroits merveilleux.

C'est quoi un végétal ?

Partout où tu te promènes dans la nature, tu es entouré de végétaux : arbres, arbustes, plantes à fleurs ou non... Mais au fait, sais-tu ce qu'est un végétal, comment il se nourrit, ce dont il a besoin pour se développer ? Les quelques expériences suivantes devraient t'aider à mieux comprendre.

De la lumière pour nourriture

Pour pousser, les végétaux ont besoin de lumière...
L'expérience suivante va te le prouver.

Il te faut
- 2 pots de la même taille
- Des graines (capucines, radis ou autres)
- De la terre pour 2 pots

① Remplis les deux pots de terre jusqu'aux trois quarts.
Sème les graines et tasse-les légèrement avec le plat de la main.
Ajoute un peu de terre. Arrose délicatement.

② Laisse les pots à la lumière jusqu'à ce que les pousses atteignent 2 cm de haut environ.

③ Prends l'un des deux pots et place-le dans un endroit sans lumière. Continue d'arroser régulièrement les deux pots.

④ Au bout de quelques jours, observe. Place les deux pots l'un à côté de l'autre. La différence parle d'elle-même. La plante qui a reçu de la lumière s'est bien développée, l'autre meurt.

En l'absence de lumière, la plupart des végétaux ne peuvent se nourrir normalement.

UNE VRAIE USINE

Les végétaux fabriquent eux-mêmes leur nourriture par un processus complexe que l'on appelle la photosynthèse. Grâce à la chlorophylle, ils captent la lumière solaire et l'utilisent comme source d'énergie pour absorber l'eau et le gaz carbonique de l'atmosphère, et les transformer en substances nutritives (sucres, amidon…). Dans le même temps, ils rejettent de l'oxygène, indispensable pour que nous puissions respirer.

Ça leur fait tourner la tête...

**Si les plantes ont besoin de lumière, elles savent aussi la chercher…
Tu sais sans doute déjà que la fleur de tournesol change d'orientation au cours de la journée de façon à recevoir le maximum de lumière du soleil. Réalise cette expérience pour découvrir quels étranges parcours peut emprunter une plante pour aller chercher la lumière.**

Il te faut

- 1 pomme de terre en train de germer
- 1 boîte à chaussures en carton
- 1 feuille de carton
- De la terre
- Du ruban adhésif

1 Découpe, dans la feuille de carton, 4 rectangles de mêmes dimensions que le petit côté de la boîte à chaussures. Fais un pli à 2 ou 3 cm du bord et fixe-les à l'intérieur de la boîte à l'aide de ruban adhésif de façon à dessiner un labyrinthe.

2 Découpe dans l'un des petits côtés de la boîte à chaussures un rectangle de : 5 cm x la hauteur de la boîte. C'est par cette ouverture que ta plante va recevoir de la lumière.

3 Place la pomme de terre au fond de la boîte (du côté non découpé), mets un peu de terre de façon à ce que la pomme de terre continue de germer.

4 Referme la boîte avec son couvercle, et place-la sur le rebord d'une fenêtre.

5 Au bout de plusieurs jours, un germe va sortir.

6 Ouvre la boîte pour découvrir le trajet qu'a fait le germe de la pomme de terre. **Étonnant, non ?**

C'est à boire qu'il leur faut !

Tout comme les êtres humains, les plantes sont constituées en majeure partie d'eau (de 80 % à 95 % selon l'espèce) et ne peuvent survivre sans boire. Cette expérience très simple va te permettre de comparer les germinations de trois haricots, selon qu'ils ont été peu, trop ou pas arrosés.

Il te faut

- 3 cuillerées à soupe de haricots secs
- 3 récipients
- Du coton

1 Fais tremper les haricots, toute une nuit, dans de l'eau.

2 Dispose un peu de coton au fond de chaque récipient, puis verse dessus une cuillerée de haricots.

3 **Récipient 1 :** verse un peu d'eau chaque jour.
Récipient 2 : recouvre entièrement les haricots d'eau.
Récipient 3 : ne verse pas d'eau du tout.

4 Au bout de quelques jours, observe ce qui se passe :
Récipient 1 : les haricots germent.
Récipient 2 : les haricots pourrissent. Entièrement recouverts d'eau, ils n'ont pas pu se procurer l'oxygène dont ils ont besoin.
Récipient 3 : les haricots se dessèchent.

Circulez, il y a à boire

L'eau que la plante absorbe par les racines circule vers les feuilles. À l'aide d'un simple colorant alimentaire, tu vas pouvoir mesurer le travail...

Procure-toi 2 fleurs blanches. Mets chacune d'elles dans un verre transparent. Verse dans l'un des 2 verres quelques gouttes de colorant alimentaire. Au bout de quelques heures, la fleur qui a été en contact avec l'eau colorée va en prendre la teinte. L'eau est montée par la tige et a circulé jusque dans les pétales.

Les plantes transpirent

Pour vivre, les plantes ont besoin d'eau.
Si elles boivent, elles transpirent aussi.
En transpirant, elles humidifient l'air.
Un arbre peut rejeter jusqu'à 500 litres
d'eau par jour !

1 Recouvre la (ou les) fleur(s) de ta plante avec le sac plastique. Ferme-le bien avec une petite ficelle, en prenant bien soin de ne pas abîmer la (ou les) tige(s).

2 En très peu de temps, tu pourras observer que le sac se couvre de buée et de gouttelettes d'eau.

Gérer la pénurie

Les plantes ont besoin d'eau, de lumière et d'un minimum de chaleur. Comment font-elles pour survivre dans les régions extrêmement froides ou, au contraire, dans les régions très chaudes et peu arrosées ?

Pour survivre dans les zones arides, les végétaux développent des stratégies d'adaptation :
   - Certaines plantes du désert ont de très longues racines afin d'aller puiser l'eau en profondeur dans le sol. Ainsi, les racines du mesquite, arbre du désert américain, plongent jusqu'à 10 m de profondeur et possèdent des ramifications jusqu'à 50 m !
   - D'autres diminuent la surface de leurs feuilles, qui peuvent être réduites parfois à de simples épines, comme celles des conifères.
   - D'autres encore, comme le cactus, accumulent l'eau dans des tissus spécialisés dits aquifères. Ces tissus sont formés de cellules remplies d'un suc constitué jusqu'à 90 % d'eau.

Mais toutes ces stratégies de survie se font toujours au détriment de leur croissance.

Quel tronc !

À hauteur d'homme, quand nous nous promenons, des arbres nous connaissons d'abord le tronc. C'est par lui que la sève monte des racines aux branches. Le tronc grossit à mesure que l'arbre vieillit.

Quoi de neuf docteur ?

Si tu connais un médecin dans ton entourage, demande-lui de te prêter son stéthoscope. Applique le stéthoscope sur le tronc et écoute attentivement. Ce que tu pourras entendre est prodigieux. Tu percevras des grincements, des craquements ; parfois même tu pourras entendre le bruit que la sève produit en s'écoulant. Et oui, c'est bien vivant un arbre...

Un cerne par an

Pour mesurer l'âge d'un arbre, il suffit de savoir compter. Si tu trouves une souche au détour de tes promenades, amuse-toi à dénombrer le nombre de cernes (les anneaux) : chaque cerne correspond à une année. La souche te racontera également l'histoire de l'arbre : les cernes sont plus rapprochés les années où il a fait très sec, où il a gelé ; en revanche les cernes sont plus espacés les années où l'arbre a pu croître sans encombre.

Le sais-tu ?

Le tronc des baobabs, immenses arbres d'Afrique, est rempli d'eau, comme un tonneau. Il peut emmagasiner plus de 100 000 litres dans les parties creuses de son tronc. Il stocke l'eau tombée à la saison des pluies et puise dans ses réserves le reste de l'année. Quand il a épuisé ses réserves, il rétrécit mais parvient à survivre grâce à ses très longues racines.

RELEVER L'ÉCORCE DES ARBRES

Le tronc des arbres est recouvert d'écorce, un revêtement qui le protège des maladies et des trop grandes variations de température. Chaque espèce d'arbre possède son écorce.

Il te faut
- Des feuilles de papier épais, blanc
- 1 crayon gras 2B ou des craies pastel

Tu peux t'amuser à collectionner des échantillons d'écorces que tu récupéreras sur des arbres morts.
Mais mieux... tu peux en faire un relevé !
Pour cela, il te suffit de quelques feuilles de papier blanc et d'un crayon gras. Applique ta feuille de papier blanc sur le tronc de l'arbre et frotte avec le crayon.
Une fois l'empreinte de l'écorce relevée, indique sur ta feuille le nom de l'arbre, la date à laquelle tu as fait le relevé ainsi que la forêt dans laquelle tu te trouvais.

GRAT, GRAT.

Hi, Hi, Hi ! ÇA ME CHATOUILLE !

RECORDS

→ **Le plus vieil arbre** est un pin de Californie. Il aurait environ 5 000 ans !

→ **Le plus gros** arbre du monde est un cyprès du Mexique : le tour de son tronc mesure près de 50 m au sol.

→ **Les plus grands** arbres du monde sont les séquoias. Ils peuvent atteindre 120 m de haut.

→ **Les plus petits** sont les bonsaïs.

Hêtre ou pas hêtre ?

Difficile de s'y retrouver entre toutes les espèces d'arbres. Pour les distinguer les unes des autres, on peut s'en remettre à quelques critères : la forme générale de l'arbre (sa silhouette), ses feuilles, ses fruits, l'écorce qui recouvre son tronc.

Les principales espèces des forêts tempérées (nos forêts) sont :

Le châtaignier

Il peut vivre jusqu'à 1 000 ans ! Il n'aime ni les grands froids, ni les vents violents. Il redoute aussi trop de soleil. On le trouve partout en France.

Fiche d'identité

- Ses feuilles sont larges et palmées

- Ses fruits, les châtaignes, sont entourés par des bogues recouvertes de piquants

- Son tronc est recouvert d'une écorce grise lisse devenant brune avec des stries en forme de spirales en vieillissant

Le sais-tu ?

Marrons ou châtaignes ?

Eh bien cela dépend... du nombre de fruits que l'on trouve dans la bogue. Quand il n'y a qu'un fruit, c'est un marron. Quand il y en a deux ou plus, on dit que ce sont des châtaignes. Quoi qu'il en soit, châtaigne ou marron, c'est un excellent fruit, riche en vitamines et en fibres.

Le bouleau

Le bouleau est un arbre à croissance très rapide ;
son bois est léger et il produit de petite graines
que dissémine le vent. Le bouleau apprécie
les espaces dégagés. On le reconnaît
à son tronc très fin.

Fiche d'identité

- Ses feuilles ont la forme
d'un losange et sont bordées
de petites dents pointues
- Ses fruits sont des chatons qui
pendent à l'extrémité des rameaux
- Son écorce est gris blanc
nervuré de noir

Le chêne

Le chêne, comme le hêtre, est une
espèce climatique ; une fois adulte,
il domine sur les autres espèces,
et ce pendant plusieurs siècles.

Fiche d'identité

- Ses feuilles ont le bord ondulé
- Ses fruits sont les glands
- Son écorce est gris brun

Le hêtre

Le hêtre est un arbre commun
de nos forêts tempérées.

Fiche d'identité

- Ses feuilles sont de forme ovale,
pointues au bout
- Ses fruits s'appellent les faines
- Son tronc est recouvert d'une écorce
lisse d'un gris blanc

95

Le frêne

Il peut atteindre 40 m de haut.
Il aime l'humidité et les sols riches.
On le trouve souvent au bord
de l'eau et le long des haies.
On le reconnaît facilement l'hiver
à ses bourgeons noirs.

Fiche d'identité

– Ses feuilles sont composées
d'une dizaine de folioles,
longues et pointues

– Ses fruits, les samares,
sont facilement reconnaissables,
ils forment des grappes denses

– Son tronc est recouverte d'une
écorce gris pâle et lisse qui se
fissure avec le temps

Le charme

Il pousse sous les chênes et les hêtres,
mais demeure toujours plus petit qu'eux.

Fiche d'identité

– Ses feuilles sont
ovales, pointues,
aux bords dentelés

– Ses fruits sont des
akènes entourés d'une
petite feuille à trois
lobes ; ils mûrissent
en automne

– Son tronc est recouvert
d'une écorce grise et veinée

Le sais-tu ?

Pourquoi les feuilles des arbres roussissent à l'automne ?

Les feuilles des arbres doivent leur couleur verte à un pigment : la chlorophylle.
Elles contiennent d'autres pigments, la xanthophylle et le carotène, qui sont, respec-
tivement, jaune et rouge. Ces derniers sont souvent masqués par la chlorophylle.
À l'automne, la chlorophylle disparaît et laisse apparaître les autres couleurs.

L'aulne glutineux

L'aulne, comme le saule, affectionne les sols gorgés d'eau : on le rencontre particulièrement le long des rivières.

Fiche d'identité

- Ses feuilles sont rondes et dentelées
- Ses fruits, les strobiles, ressemblent à de petites pommes de pin qui brunissent en mûrissant
- Son tronc est recouvert d'une écorce gris foncé, fissurée

L'érable (à sucre)

L'érable est un arbre des bois et des sous-bois ; certains restent assez petits avec une large couronne et se contentent de peu de lumière. C'est l'arbre des forêts canadiennes par excellence.

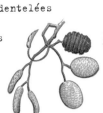

Fiche d'identité

- Ses feuilles sont larges et palmées ; elles prennent de très belles couleurs, variant du rouge sombre à l'or pendant l'automne
- Ses fruits sont les samares, aisément reconnaissables à leur paire d'ailes
- Son tronc est recouvert d'une écorce gris-brun, lisse

Sans monter sur une échelle...

Comment mesurer la hauteur d'un arbre sans monter sur une échelle ? Rien de plus simple. Il te suffit d'un mètre. Pour te livrer à ce petit calcul, choisis un moment de la journée où l'ombre de l'arbre est entièrement projetée sur le sol. Prends un bâton bien droit et plante-le à côté de l'arbre. Mesure l'ombre projetée au sol par le bâton. Puis mesure la longueur de l'ombre de l'arbre, du tronc au sommet. Et maintenant, calcule selon la formule :

$$\text{Taille de l'arbre} = \frac{\text{longueur de l'ombre de l'arbre} \times \text{longueur du bâton}}{\text{longueur de l'ombre du bâton}}$$

Pins et sapins

Les pins, les sapins, les cèdres, les mélèzes, les épicéas appartiennent à la famille des conifères. Leurs graines poussent dans des cônes. Leurs feuilles sont des aiguilles et, pour la plupart d'entre eux, elles ne tombent pas à l'automne.

Le mélèze

Il pousse dans les montagnes d'Europe. Il peut pousser jusqu'à plus de 2 000 m d'altitude et mesure de 20 à 35 m de haut. Il possède des aiguilles caduques, qui tombent en hiver.

Le pin

Le pin se reconnaît à ses aiguilles longues et souples, persistantes. Il peut atteindre 50 m de haut ! Il existe de nombreuses espèces de pins : beaucoup sont exploitées pour leur bois, dont on fait des meubles. Le pin sylvestre représenté ci-dessus se distingue par sa silhouette élancée et la répartition de ses aiguilles en vastes touffes.

L'épicéa

C'est le « sapin » de Noël ! Très élancé, il peut atteindre 50 m de haut. Son tronc est roux, ses cônes retombent vers le bas et ses aiguilles sont piquantes.

Le sapin

Le sapin a des aiguilles courtes et régulièrement disposées sur les tiges, à la différence du pin par exemple. Il peut atteindre 40 m de haut. On utilise son bois en menuiserie, et pour fabriquer de la pâte à papier.

La prédiction des cônes

Lors de tes promenades, ramasse un joli cône d'épicéa. Nettoie-le et fais-le sécher. Suspends-le au-dehors. Si les écailles sont très serrées, le soleil est au rendez-vous ; si les écailles se déploient largement, le temps est à la pluie.

Le cèdre

Le cèdre est un conifère originaire d'Asie et d'Afrique que l'on a importé en l'acclimatant en Europe. Grand arbre, puisqu'il atteint fréquemment 40 m de haut, il se reconnaît à ses vastes branches qui s'étalent largement. Son cône est rond.

Que vive le roi !

Plutôt que d'acheter un sapin coupé pour les fêtes de Noël, pense à acheter un sapin en pot avec ses racines. Il faut le replanter avant qu'il ne perde ses aiguilles. Choisis un endroit bien dégagé, dans ton jardin. Creuse dans la terre un trou assez profond pour que les racines soient recouvertes par la terre. Au printemps suivant, de nouveaux bourgeons doivent apparaître.

99

Les baies des haies

Les haies sont de véritables réserves de baies et de plantes qui nous sont très utiles. Mais attention, si elles se ressemblent parfois beaucoup, elles ne sont pas toutes comestibles. Apprends à les reconnaître.

Les baies comestibles

Délicieuses à manger à peine cueillies, ou faciles à cuisiner, voici des baies que tu es susceptible de découvrir au cours de tes promenades.

Ronce
Tu peux manger ses fruits, les mûres, à peine cueillies.

Merisier
Les fruits de ce cerisier sauvage sont légèrement amers.

Cornouiller mâle
Ses fruits, semblables à des olives rouges font de bonnes confitures.

Sureau noir
Ses fruits d'un violet foncé doivent être cuits.

Boisson aux corymbes de sureau

Les fruits du sureau noir poussent en formations compactes que l'on appelle corymbes. Très parfumés, on en fait des confitures, des gelées, et même une excellente boisson : Nettoie les fruits de 4 corymbes sans les laver. Place-les dans un grand bocal en verre, avec 2 citrons découpés en morceaux et 200 g de sucre. Verse 2 litres d'eau. Recouvre le bocal avec une compresse. Place-le au soleil. Agite régulièrement ta préparation. Au bout d'une semaine, des bulles se forment à la surface. Filtre alors le liquide et verse-le dans des bouteilles que tu auras stérilisées. Conserve-les au réfrigérateur, bien droites. Tu pourras les boire 2 semaines plus tard.

Les baies toxiques

Ces baies sont impropres à la consommation. Ne t'avise pas de les goûter, même par curiosité, tu serais vraiment malade. En règle générale, comme tu le ferais pour les champignons, demande l'avis d'un spécialiste avant de consommer des baies.

Attention

Belladone
Les fruits de cette plante des taillis sont noirs et ont la taille d'une cerise.

Fusain
Les fruits de cet arbuste sont d'un bel orangé, entourés d'une enveloppe rose.

Chèvrefeuille
Les fruits de cet arbuste grimpant sont rouges et groupés par deux.

Bryone
Les fruits de cette plante grimpante sont rouges et très toxiques.

CONFITURE DE MÛRES

1 Trie et équeute les mûres. Mets à tremper les mûres dans un récipient rempli d'eau au moins une nuit avant de confectionner ta confiture.

Il te faut
- 1 kg de mûres
- 1 citron
- 1 kg de sucre

2 Verse dans une grande casserole, ou mieux une bassine à confiture si tu en as une, les mûres et 1 verre d'eau. Presse le jus du citron et incorpore-le aux mûres.

3 Porte la casserole de mûres à ébullition. Dès que ton mélange bout, réduis le feu et laisse cuire 10 minutes à petit feu en mélangeant bien.

4 Incorpore le sucre, puis porte de nouveau à ébullition. Dès que cela bout, écume le mélange et baisse le feu. Laisse cuire encore 15 minutes à feu doux en mélangeant bien.

5 Verse la confiture dans des pots stérilisés et ferme-les hermétiquement.

Florilège de fleurs

Au printemps, les prairies se couvrent de fleurs et se parent de couleurs vives ou subtiles. Ces fleurs ont besoin de beaucoup d'eau. Au cours de tes promenades, évite d'en cueillir trop. En effet, si elles font de magnifiques bouquets dans la nature, elles ne tiennent que quelques heures dans un vase...

Portraits

La pâquerette

Cette petite marguerite (5 à 15 cm), au cœur jaune et aux pétales blancs, pousse au ras du sol (d'où l'expression populaire « au ras des pâquerettes », c'est-à-dire d'un niveau peu élevé). Elle est très commune en Europe où elle fleurit dans les prés presque toute l'année.

Le sais-tu ?

La plus grande fleur du monde pèse une dizaine de kilos ! C'est la rafflésie des îles de Bornéo et de Sumatra. Cette énorme fleur compte cinq pétales rouges tachetés de blanc et dégage une odeur nauséabonde de viande pourrie qui lui permet d'attirer les insectes et ainsi de se reproduire.

Le coquelicot

On le distingue de loin dans les champs de blé mûr avec ses beaux pétales rouges et fragiles. Haut de 20 à 50 cm, le coquelicot est un cousin du pavot. Il a les mêmes propriétés d'endormissement que lui, sans les vertus narcotiques. On utilise ses pétales pour en faire des sirops délicats. En infusion, ses pétales sont un excellent démaquillant.

La cardamine des prés

On l'appelle aussi cressonnette. Cette fleur à pétales blancs ou lilas fleurit au printemps dans les champs humides. Haute de 20 à 50 cm, elle est très répandue en Europe. Selon la légende, on raconte que cette jolie plante porte malheur. C'est pourquoi on évite de la planter dans les jardins ou d'en mettre dans sa maison...

La colchique d'automne

« Colchiques dans les prés, fleurissent, fleurissent
Colchiques dans les prés, c'est la fin de l'été... »

Eh oui, la colchique à fleurs blanches, roses ou violettes, fleurit effectivement en automne comme le dit si bien la chanson. On l'appelle aussi safran des prés ou tue-chien.

⚠ Attention ! Cette fleur est vénéneuse. Elle contient en effet une substance toxique, la colchicine.

La renoncule

Appelée aussi bouton-d'argent ou bouton-d'or selon l'espèce, cette petite fleur est très commune dans les prés au printemps et en été. Son nom vient du latin *ranunculus*, qui signifie « petite grenouille ».

La petite prairie dans la maison

Choisis la fleur ou les fleurs que tu voudrais faire pousser chez toi. Cueille-la quand ses pétales se sont desséchés. Tiens ta fleur, tête en bas, et secoue-la au-dessus d'un linge propre. Recueille les graines et glisse-les dans une enveloppe sur laquelle tu inscriras le nom de ta fleur. Conserve-les au sec et plante-les au printemps suivant.

Fabrique ton herbier

Au cours d'une de tes promenades dans les bois ou dans la campagne, cueille des fleurs et des feuilles pour te constituer un herbier. Mais attention ! Il faut respecter certaines règles avant de te lancer dans cette activité...

Tu n'as pas le droit de ramasser toutes les plantes, certaines sont protégées. Par ailleurs certaines peuvent être toxiques. Enfin, sache que tu ne peux pas non plus les cueillir n'importe où...

Attention

1 *Séchage des plantes*

La méthode la plus simple pour faire sécher les plantes que tu auras cueillies, consiste à les placer entre plusieurs feuilles d'un quotidien (n'utilise pas les pages d'un magazine, elles sont peu absorbantes) ; puis à poser dessus un objet lourd comme un dictionnaire.
L'épaisseur des feuilles de journal doit être supérieure à l'épaisseur de la plante. Change les feuilles de journal tous les deux jours pour éviter qu'elles ne moisissent.

2 *Préparation des planches*

Une fois les plantes bien séchées, fixe-les avec un morceau de ruban adhésif sur des feuilles de carton blanc ou des planches de Bristol. Note sur une étiquette le nom commun de chaque plante, son nom scientifique ainsi que la date et le lieu où tu l'as cueillie.

Nom commun...... *Narcisse*......
....
Nom scientifique.... *Narcissus*....
.*pseudo-narcissus*.........
Récolté le... *Mars 2005*.........
à... *en sous-bois*...

Exemple d'étiquette à coller sous ta plante.

Fabrication de l'herbier

Achète ou fabrique un dossier de carton brun assez rigide.
L'épaisseur de la tranche du dossier doit être calculée en fonction
du nombre de planches que tu as confectionnées.
Prends ton dossier dans le sens de la hauteur. Trace une marque au crayon
à papier pour indiquer le milieu de la hauteur. Puis, à l'aide d'une
perforatrice, fais un trou à 1 cm environ du bord au niveau de la marque.
Fais un second trou de la même façon sur l'envers du dossier.
Glisse un ruban à l'intérieur : cela te permettra d'éviter que tes planches
ne s'éparpillent. Tu n'as plus qu'à glisser tes planches.
Les plantes, à l'abri de la lumière, se conserveront très longtemps.

POUR LES CHANCEUX

Le mot trèfle vient du grec *triphullon* et signifie littéralement trois feuilles.
Comme son étymologie l'indique, le trèfle est une petite plante à feuilles
composées de trois folioles que l'on trouve dans les prés, au bord des
chemins, etc. Il arrive que certains possèdent non pas trois mais quatre folioles.
Leur (relative) rareté les a hissés au rang de porte-bonheur pour celui qui
les trouve. Tente ta chance !

POUR LES MOINS CHANCEUX

Si au cours de tes cueillettes, par mégarde, tu mets la main dans les orties,
tu vas ressentir une vive douleur. Les feuilles de l'ortie sont couvertes de poils
urticants. Pour atténuer la douleur, sache que tu as le plus souvent la solution
à portée de main : près de l'ortie poussent la patience, la rhubarbe ou
le plantain. Cueille une feuille d'une de ces plantes, pétris-la et frottes-en
l'endroit piqué. Tu n'y penseras bientôt plus.

Des fleurs au menu

Manger des fleurs n'est pas une invention de la nouvelle cuisine. Depuis l'Antiquité, les différentes civilisations ont toutes proposé des fleurs au menu.

Prudence !

Il faut t'informer au préalable : ce n'est pas parce qu'une fleur est jolie et qu'elle sent bon qu'elle est comestible. En effet, certaines fleurs sont très toxiques, voire mortelles. Par ailleurs, il ne faut employer que des fleurs que tu as cultivées ou bien acheter des fleurs qui sont identifiées comme étant comestibles.

Voici une liste de quelques fleurs que tu peux manger et cuisiner :

Capucine	salade, beurre, confite	Riche en vitamine C. Les feuilles ont un goût piquant, les fleurs sont légèrement poivrées.
Chrysanthème	salade, soupe	Il faut blanchir les pétales avant de s'en servir. Fleurs et feuilles sont comestibles.
Coquelicot	salade, garniture, sirop	Les jeunes feuilles et les pétales des fleurs se mangent en salade.
Giroflée	salade, confite	Les fleurs sont très parfumées.
Glaïeul	salade, farcie, garniture	Les fleurs ont un goût sucré.
Pâquerette	salade, confite	Feuilles et fleurs se mangent en salade.
Pensée	salade, confite, beurre	Pense à enlever le pédoncule amer avant de la manger.
Pissenlit	salade, confite, vin	On mange de préférence les fleurs, mais les jeunes feuilles et les boutons sont aussi comestibles.
Rose trémière	salade, confite, farcie	Fleurs et boutons sont comestibles.
Souci	salade, soupe, beurre, sauce, boisson, biscuit, riz	La fleur est un aromate qui peut se substituer au safran. Les pétales se mangent en salade.
Tournesol	salade, soupe	Fleurs et graines sont comestibles.
Tulipe	salade, confite, farcie	Les fleurs ont un goût légèrement sucré. Pense à ôter les étamines et le pistil avant de les consommer.
Violette	salade, vinaigre, beurre, thé, sirop, gelée, salade de fruits, gâteau	La fleur est très parfumée. Les feuilles sont aussi comestibles.

CONFITURE AUX PÉTALES DE ROSES

Préparation

1. Coupe les parties plus claires des pétales.

2. Verse les 3 tasses d'eau dans une grande casserole et jettes-y les pétales. Porte à ébullition et laisse mijoter [couvert] pendant 30 minutes.

3. Égoutte au-dessus d'un saladier de façon à pouvoir récupérer le liquide.

4. Mélange ce liquide avec le sucre, le jus de citron et la pectine dans un chaudron.

5. À feu moyen, mélange délicatement jusqu'à ce que le sucre soit dissout.

6. Porte à ébullition, sans brasser, pendant 10 minutes ou jusqu'à ce que la confiture soit prise.

7. Mélange les pétales, verse dans des pots stérilisés et scelle.

Il te faut

- 100 g de pétales de rose, soit environ 20 roses (rouges)
- 3 tasses d'eau
- 1/2 tasse de sucre
- 1 cuillerée à café de jus de citron
- 1 sachet de pectine

PÉTALES AU SUCRE

1. Monte un blanc d'œuf en neige dans un bol et mets de côté.

2. Verse quelques cuillerées de sucre à fruits dans une assiette plate.

3. Trempe les pétales de fleurs comestibles* dans le blanc d'œuf puis dans le sucre.

4. Laisse sécher les pétales sur une plaque à biscuits dans un endroit sec.

5. Conserve-les dans une boîte métallique au sec. Les pétales au sucre décoreront un gâteau ou garniront un dessert.

Il te faut

- 1 œuf
- 1 tasse de sucre à fruits
- Des pétales de fleurs comestibles au choix (violettes, roses, etc.)

* Voir tableau ci-contre.

Le secret des champignons

C'est l'automne, la forêt se jonche de feuilles mordorées, la forêt sent bon. Munis-toi d'un bâton et pars à la cueillette des champignons. Mais attention pas n'importe lesquels !

C'est quoi, au fait, un champignon ?

Le champignon ressemble à un végétal, et pourtant ce n'en est pas un. Il n'a ni racines, ni feuilles, ni fleurs. Il n'est pas vert non plus puisqu'il ne contient pas de chlorophylle. Ce n'est pas non plus un animal. **Alors, c'est quoi un champignon ?**

C'est un petit être bien à part, qui appartient à la famille des **fongiques**.

Un champignon est composé de 2 parties :
- le sporophore, partie visible
- le mycélium

C'est par le mycélium, vaste toile de filaments, que le champignon se nourrit.

YAAAAHOUU !

L'étrange vie des champignons

Les champignons ne renferment pas de graines. Alors comment font-ils pour se reproduire ? Pour mieux comprendre, réalise cette petite expérience.

RECUEILLE LES SPORES D'UN CHAMPIGNON

Il te faut
- 1 champignon arrivé à maturité
- 1 verre
- 1 feuille cartonnée
- De la peinture bleu vif
- 1 microscope

1 Recouvre la moitié de la feuille de peinture.

2 Découpe au centre de la feuille un trou de la taille du diamètre du pied du champignon.

3 Verse de l'eau dans le verre puis pose la feuille cartonnée dessus.

4 Passe le pied du champignon par le trou pour qu'il soit en contact avec l'eau.

5 Attends 24 heures.

6 Retire délicatement le champignon, et place le carton sous le microscope. Tu pourras observer les spores disposées suivant la position des lamelles.

- Les spores libérées par le champignon se dispersent avec le vent et retombent sur le sol.
- La spore germe et fabrique un mycélium qui se déploie et s'agrandit.
- Pour que de nouveaux petits champignons naissent, il faut que deux mycéliums se rencontrent. Pour se développer, il faut aussi qu'il fasse chaud et humide.

Les champignons qui poussent sur les arbres

Il n'est pas nécessaire d'avoir les yeux rivés au sol pour dénicher un champignon. Tu peux aussi en voir sur le tronc de certains arbres.

Les spores de ce type de champignon sont enduites d'une espèce de colle qui leur permet d'adhérer au tronc des arbres pour germer. Elles se développent de préférence aux endroits où l'arbre a été meurtri.

109

Les champignons comestibles

Voici quelques-uns des champignons les plus recherchés. Si certains sont facilement reconnaissables, tels la morille, d'autres peuvent être confondus avec des champignons toxiques. Alors, pas d'hésitation ! Avant de les consommer – de préférence le jour même – montre-les à un connaisseur.

Le cèpe

La girolle
ou chanterelle

Cèpe jaune
des pins

La pleurote

La trompette
de la mort

La morille

ET LA TRUFFE ?

Très appréciée des gourmets, la truffe est un champignon rare, parfumé et vraiment très cher !
La truffe a la particularité de vivre en symbiose avec un arbre, le plus souvent un chêne.
Elle se développe sous terre. Sa partie charnue, et tant appréciée, peut être enfouie jusqu'à 30 cm de profondeur. Aussi il n'est pas si facile de la trouver. L'odorat de l'homme n'étant pas assez puissant, on fait appel à des aides bien précieuses :
• le cochon-truffier qui remue la terre avec son groin et se dirige tout naturellement à l'endroit où elles se trouvent, attiré par l'odeur.
• des chiens, spécialement dressés pour la recherche des truffes. Ils ne fouillent pas la terre mais hument l'air et indiquent où chercher en grattant la terre avec leurs pattes.

Les champignons vénéneux

Attention

Certains sont très beaux, d'autres dégagent une odeur délicieuse. Mais méfie-toi : ils peuvent être mortels !

L'amanite phalloïde

Toxique

Le bolet satan

Toxique

L'amanite tue-mouches

Toxique

Le clitocybe
de l'olivier

Lépiote brun rosé

Toxique

L'entolome livide

Que faire en cas d'intoxication ?

Contacte immédiatement le centre antipoison le plus proche, ou rends-toi au service des urgences à l'hôpital, ou téléphone au SAMU en leur expliquant ce qui se passe.

Conseils pour une cueillette prudente

Assure-toi au préalable que le champignon que tu vas cueillir est bien comestible. En cas de doute, abstiens-toi. Cueille-le à la base de la tige en prenant bien soin de ne pas le casser. Ne prends pas les champignons abîmés ou les champignons trop jeunes. Dépose-les dans un panier ou une cagette. Surtout ne les glisse pas dans un sac plastique. Par sécurité, montre toujours ta cueillette à un spécialiste ou à un pharmacien. Rien de plus trompeur qu'un champignon...

Les « indics » des bois

Lors de tes balades en forêt, prends le temps d'observer attentivement les lichens et les mousses, ces curieux végétaux : ils fournissent de précieux renseignements sur l'air que nous respirons.

Les mousses : une vie de résistance

La bryum capillaire est l'une des mousses les plus courantes en France

Le sais-tu ?

Il existe plusieurs centaines de variétés de mousses et de lichens dans l'Arctique canadien. Ils constituent une nourriture essentielle pour des milliers de ruminants.
Le lichen de caribou pousse sur le sol, formant de grandes colonies. Pour le ramasser, faites comme les caribous : grattez la neige avec la patte.
En passant, le mot « caribou » est d'origine algonquine et signifie « qui creuse avec une pelle ».

Présentes partout dans le monde, les mousses vivent en milieu humide. Elles ont fait leur apparition sur Terre il y a 350 millions d'années environ ! Il s'agit donc d'un des plus anciens végétaux terrestres connus. Les mousses n'ont pas de racines et vivent un peu comme des algues. Elles forment des tapis de courtes tiges feuillues serrées les unes contre les autres, et prolifèrent sur le sol, les murs, les toits des maisons. Très résistantes, les mousses peuvent vivre longtemps sous une forme desséchée, puis renaître à la moindre petite pluie. On en recense plusieurs milliers d'espèces !

JE PEUX VOUS AIDER À CREUSER?

PFFF... DE QUOI JE ME MÊLE ?

Lichens : la vie à deux

Les lichens sont de drôles de végétaux. Ils sont composés d'un champignon et d'une algue vivant en symbiose, c'est-à-dire que leur association est à la fois bénéfique et indispensable à leur survie. Le champignon protège l'algue de la déshydratation, du dessèchement par le soleil et l'empêche d'être mangée par de nombreux animaux. En échange, l'algue produit des glucides qui nourrissent le champignon…

Il existe environ 20 000 espèces de lichens : verts chevelus, jaunes crustacés, bruns, etc.

Fréquents sur les rochers et sur les arbres, les lichens peuvent résister à des conditions climatiques extrêmes : grand froid ou sécheresse. On en trouve même au sommet du mont Blanc !

Le sais-tu ?

« Lichen » vient du latin qui l'a lui-même emprunté au grec *leikhên*, qui veut dire « lécher », à cause de la façon qu'ont ces végétaux de s'accrocher aux rochers ou aux arbres sur lesquels ils poussent.

Lichen crustose

Lichen foliose

Lichen fruticose

Alerte ! Lichens rabougris

Les lichens nous sont précieux parce qu'ils sont très sensibles à la pollution atmosphérique et, en particulier, aux émanations des dérivés du pétrole et du charbon. Les lichens sont donc d'excellents indicateurs de la pureté de l'air. Ainsi, quand l'air est pollué, les lichens rabougrissent, se noircissent, ou plus radicalement disparaissent. En revanche, si l'air est sain, les lichens s'épanouissent et se colorent de teintes vives.

Les pieds dans l'eau

Lentilles d'eau, nénuphars et nymphéas... Les plantes des étangs affleurent à la surface de l'eau et se balancent au gré du mouvement de l'onde. Délicates pour la plupart, elles ombrent la surface de l'eau et la clarifient en la filtrant.

Stratégiques !

Presque toutes les étendues d'eau, depuis la mare de ferme jusqu'au grand lac, sont peuplées de végétaux. Mais comment font toutes ces plantes pour survivre sans pouvoir toujours respirer l'air libre ?

Le sais-tu ?

La plante la plus consommée dans le monde pousse les pieds dans l'eau. Il s'agit du riz. On en produit près de 600 millions de tonnes chaque année dans le monde.

Pour se maintenir à la surface de l'eau, les plantes aquatiques ont su s'adapter. Ainsi, les **nénuphars** possèdent de grandes feuilles plates et rondes qui flottent comme des bateaux. D'autres, telles les **lentilles d'eau**, sont si petites (moins de 1 mm de diamètre) et si légères qu'elles ne s'enfoncent pas. La **jacinthe d'eau**, quant à elle, a des feuilles gonflées comme des flotteurs. D'autres encore ont de véritables chambres à air dans leurs tiges et leurs feuilles, ou bien possèdent des feuilles enduites d'une sorte de cire qui les rend imperméables.

La vorace utriculaire

L'utriculaire est une jolie plante aquatique dont les tiges portent des fleurs jaunes. Frêle et délicate, l'utriculaire n'en est pas moins... **carnivore**. Sa tige est en effet parsemée d'utricules (de minuscules sacs) qui sont autant d'armes pour la gourmande. Dès qu'un petit animal, une puce d'eau par exemple, se heurte à la tige, un utricule s'ouvre et capture la proie.

→ Roseau ou massette ?

On les appelle tous les deux communément roseaux, et pourtant ils présentent des différences :

• Le **roseau** est la plus haute plante des étangs. Ses feuilles sont coupantes. Il a une tige droite, lisse, creuse et pourvue d'un épi de fleurs mauves. Grâce à ses racines, il stabilise le bord des étangs.

• La **massette**, que l'on appelle aussi roseau-quenouille ou roseau-massue, est une grande plante dont les fleurs femelles forment un épi compact, brun-chocolat et velouté.

Le sais-tu ? Le roseau a longtemps servi à faire les toitures, les toits de chaume. On coupait les roseaux à la main pour ne pas les abîmer, puis on les liait en gerbes et les faisait sécher. Très bon isolant, le chaume présentait toutefois l'inconvénient d'être très inflammable.

→ Et la grenouillette ?

Cette renoncule aquatique pousse dans les eaux calmes. Elle possède deux types de feuilles : des feuilles entières, qui flottent, et des feuilles découpées en fines lanières qui sont complètement immergées. On la reconnaît à ses belles fleurs blanches au cœur jaune.

Le sais-tu ? Le nénuphar géant d'Amérique du Sud possède des feuilles gigantesques. D'un diamètre de 2 m, elles ont la forme d'un moule à tarte !

C'est quoi un insecte ?

Les insectes sont les animaux les plus nombreux sur la Terre.
On en compte plus d'un million d'espèces différentes.
Les fourmis, les papillons, les guêpes, les abeilles, les bourdons,
les mouches, les coccinelles, les moustiques sont des insectes.

Fiche d'identité

Un insecte, c'est :

- six pattes
- un corps formé de trois parties :
la tête, le thorax, l'abdomen.
Certains insectes ont des ailes,
d'autres non. Plus de pattes ?
Alors, ce n'est pas un insecte...

FABRIQUE UNE LOUPE

Pour pouvoir observer les insectes dans
leurs moindres détails, fabrique une petite loupe,
toute simple et très efficace.

1 Coupe le tube en carton à 3 cm du bord.

2 Découpe dans le film alimentaire un cercle
d'un diamètre supérieur de 3 cm à celui de ton
tube. Fixe-le à l'aide d'un élastique au morceau de tube que tu viens de découper.

3 Verse quelques gouttes d'eau au fond.

4 Ta loupe est prête. Tu n'as plus qu'à la poser au-dessus de l'insecte que tu
souhaites observer.

Il te faut

- Du film alimentaire
- 1 double-décimètre
- 1 tube en carton (type
rouleau de papier hygiénique)
- 1 élastique

Nuits blanches

De nombreux insectes vivent la nuit.
On dit qu'ils sont nocturnes.
Pour pouvoir les observer, tends une corde
entre deux piquets ou deux troncs d'arbre
et suspends-y un drap blanc.

Le sais-tu

Ne t'étonne pas : si la nuit est claire, ou s'il y a du vent, la lumière des lampes attire peu les insectes.

Munis-toi d'une lampe ou d'une torche et éclaire le drap. Attirés par la
lumière, de nombreux insectes de la nuit vont venir se coller sur ce drap :
hanneton, fourmilion, lucane cerf-volant, paon de nuit ou sphinx jaune.
Prends alors le temps d'observer leur vol de nuit.

Quelques records

• **Le plus lourd**
Le scarabée Goliath de Côte
d'Ivoire peut peser jusqu'à 100 g.

• **Le plus grand**
Le phasme *Pharnacia serratipes*
peut mesurer jusqu'à 50 cm.

• **La plus petite**
C'est une guêpe, de la famille
des *Myrmaridae*. Elle mesure
0,17 mm.

• **La plus sportive**
La puce Pulex peut faire des sauts
de 20 cm de haut, soit 130 fois
sa taille.

• **La plus rapide**
Certaines libellules peuvent voler
à plus de 60 km/h.

• **La plus pondeuse**
La reine termite Macroterme pond
40 000 œufs par jour pendant
15 ans.

À vos marques...

**Vous êtes dans un coin à sauterelles
et vous avez déjà passé un bon bout
de temps à les regarder. Pourquoi ne
pas organiser une épreuve olympique
pour ces reines du saut en longueur ?**

- Attrapez plusieurs sauterelles dans vos
mains, en prenant bien garde à ne pas
leur abîmer les ailes.

- Repérez un endroit bien plat. Ce sera
leur terrain de compétition.

- Marquez une ligne de départ.

- Déposez vos concurrentes tous en
même temps sur la ligne et donnez
le départ.

➜ Le gagnant est celui dont la
sauterelle a sauté le plus loin, à moins
que vous ne préfériez donner la victoire
à celle qui a sauté le moins loin...
À vous de voir.

Insectes des champs

Les champs grouillent d'insectes. Une vie intense et souvent très bien organisée s'y déroule sans que nous y prenions garde. Prends le temps de regarder ce qui se passe...

Mesdemoiselles les coccinelles

Elles ont deux paires d'ailes : une paire d'ailes dures (les élytres) et une paire d'ailes souples et fines. Les coccinelles ont un **excellent appétit**. Il est vrai qu'elles sont dotées de solides mâchoires pour broyer : elles peuvent dévorer entre 30 et 40 pucerons par jour... Le nombre de points noirs qui parsèment leurs ailes n'indiquent pas leur âge !

Un peuple de travailleuses : les fourmis

Le sais-tu ?

On estime qu'une fourmilière pourrait compter jusqu'à 7 millions d'individus...

Les fourmis vivent en colonies et mènent une vie très organisée. Une **fourmilière** est divisée en plusieurs chambres reliées entre elles par des tunnels. Chaque fourmilière abrite une reine, entourée d'ouvrières toutes issues de la reine. Les ouvrières prennent soin des nouveau-nés, les larves. Quand naît une nouvelle reine, elle quitte le nid et s'envole à la recherche d'un mâle de son espèce. Après l'accouplement, le mâle meurt...

Les fourmis sont constamment à la recherche de nourriture. Pour retrouver leur chemin, elles déposent sur leur passage une substance odorante. Les autres fourmis n'ont plus qu'à suivre le chemin ainsi balisé.

L'ESCLAVAGE N'EST PAS ABOLI...

La fourmi esclavagiste d'Europe doit son nom à une curieuse pratique : elle soumet d'autres fourmis et les fait travailler pour son compte. Elle effectue des raids dans le nid de fourmis voisines, et kidnappe leurs œufs pour les emmener dans son nid. Là, l'esclavage commence. Dès leur naissance, les fourmis kidnappées sont employées pour trouver de la nourriture et pour nettoyer le nid. Elles n'en sortiront jamais.

Pas folles... les guêpes

Les guêpes vivent dans des **nids** patiemment fabriqués par leur reine.
En effet, dès que celle-ci est adulte, elle se met à fabriquer un nid,
construction méticuleuse qui requiert temps et patience. La reine arrache
de l'écorce avec ses dents et la malaxe jusqu'à
en faire une pâte avec laquelle elle construit
un alvéole. Elle y dépose un œuf. Puis elle
fabrique un nouvel alvéole et y dépose un autre
œuf. Et ainsi de suite jusqu'à ce que le nid
soit achevé. Les guêpes défendent vaillamment
leur nid. Pour cela, elles disposent d'un dard,
situé à l'intérieur de leur abdomen. Quand
une guêpe s'apprête à piquer, elle fait sortir
son dard.

ET L'HIVER ?

À la différence des abeilles, les guêpes ne stockent rien pour l'hiver. À la fin de l'été, les ouvrières meurent. Seule la reine survit en hibernation et fonde une nouvelle colonie au printemps.

Ses majestés les mouches

À l'extrémité de leurs pattes, les mouches
ont deux « griffes » et des poils collants.
C'est pourquoi les mouches peuvent s'agripper
au plafond, par exemple, et marcher **la tête
en bas**. Leurs poils leur permettent même
de s'accrocher à du verre.

Le sais-tu ?
C'est la mouche tsé-tsé, une espèce africaine de mouche, qui transmet la maladie du sommeil à l'homme.

Les abeilles : une dure vie de labeur

Très organisées, elles aussi, les abeilles vivent en famille, dans une **ruche**
qui abrite une seule reine, des faux bourdons, et des ouvrières.
La reine pond plus de 1 000 œufs par jour ! Les abeilles couveuses
les prennent en charge, veillant à conserver la bonne
température. Trois jours plus tard, apparaissent de
petites larves. C'est au tour des nourrices de s'en
occuper. Elles leur donnent à manger de la gelée
royale, puis un mélange de miel et de pollen.
Au huitième jour, l'alvéole des larves est bouché
avec de la cire : là, elles vont successivement
se transformer en nymphes puis en abeilles.
Au bout de 21 jours, elles sortent enfin, prêtes
à commencer une dure vie de labeur.

Observe...

Une abeille peut butiner jusqu'à 100 000 fleurs par jour ! Elle stocke le pollen récolté dans des corbeilles à pollen jaunes et gonflées qui se trouvent sur ses pattes.

Insectes d'eau douce

Si tu te promènes ou campes au bord d'une mare ou d'un étang, profites-en pour étudier la vie des hôtes de ces lieux. Pour ce, n'hésite pas à fabriquer un instrument d'observation hors pair : "l'œil sous-marin" !

on *est* *là !*

Les libellules

Légères, aériennes, les libellules volent rapidement à l'horizontal au ras de l'eau en capturant des insectes. Leurs larves, ou naïades, naissent dans l'eau. Elles ne sortent de l'eau qu'à l'âge adulte.

Les gerris

Les gerris sont si légers qu'ils marchent sur l'eau ! Le bout de leurs quatre longues pattes arrière est gainé de poils très fins et imperméables qui les empêchent de couler. Les pattes avant sont plus courtes : ils s'en servent pour saisir leurs proies.

Les demoiselles

Elles ressemblent aux libellules, mais elles sont plus petites et leur corps est plus effilé. Au repos, elles plient leurs ailes à la verticale tandis que les libellules les gardent déployées.

Les araignées d'eau

Contrairement à ce que leur nom pourrait laisser entendre, ce ne sont pas des araignées mais des insectes. Elles se déplacent à la surface de l'eau en utilisant leurs pattes arrière comme gouvernail et leurs pattes avant comme rames.

Les moustiques

Rapide et agile, le moustique est un solitaire qui apprécie les endroits humides. Il repère sa proie à plus de 10 m dans l'obscurité.
Ce sont les femelles qui piquent. Elles percent la peau avec leurs mandibules puis aspirent le sang avec leur trompe. Elles absorbent environ deux fois leur poids de sang en une seule prise et il leur faut piquer une à cinq fois pour pouvoir pondre.
Les mâles, eux, se nourrissent du nectar des fleurs. Les femelles pondent dans l'eau. Leurs œufs flottent à la surface.

Comment les tenir à l'écart ?

Tu peux trouver dans le commerce des insecticides ou te munir de moustiquaires. Mais sais-tu qu'il existe des antimoustiques naturels très efficaces. Tu peux par exemple te parfumer de citronnelle, ou d'essence d'eucalyptus ou encore de lavande.

Mortel anophèle

Les moustiques peuvent transmettre des maladies, en particulier le paludisme (ou malaria) dans les pays chauds. C'est la maladie la plus répandue dans le monde. Tous les moustiques ne la transmettent pas : le responsable s'appelle l'anophèle.

FABRIQUE UN ŒIL SOUS-MARIN
GLOUPS !

Inutile de se jeter à l'eau tout habillé pour pouvoir observer les hôtes des mares et des étangs. Ce petit instrument va te permettre de les regarder attentivement en restant les pieds au sec.

1 Ouvre une boîte de conserve des 2 côtés (haut et bas) à l'aide d'un ouvre-boîte. Vide-la de son contenu, puis nettoie-la abondamment avec du liquide vaisselle et de l'eau. Fais attention à ne pas te couper avec les bords.

2 Découpe dans une feuille de plastique transparent un carré largement plus grand que la base de ta boîte. Fixe ce carré à la base avec un élastique. Il n'est pas nécessaire que la feuille de plastique soit bien tendue.

3 Installe-toi à plat ventre au bord de l'étang et plonge ton instrument d'observation dans l'eau, du côté couvert de plastique. Et maintenant observe bien.

Observer

121

Insectes des forêts et des bois

Les forêts et les bois abritent des insectes étonnants.
La plupart se développent lentement, vivant longtemps à l'état
de larves dans l'écorce des arbres avant de devenir adultes.

Le scarabée rhinocéros

Il doit son nom à la grande corne que le mâle
porte sur l'avant de la tête. C'est une arme
efficace lorsqu'il livre des combats. On ne peut
l'apercevoir qu'à la tombée de la nuit.

Le lucane cerf-volant

On le surnomme cerf-volant parce que les mâles
possède de grandes mandibules qui évoquent les
bois des cerfs et que, par ailleurs, il vole. Au début
de l'été, les mâles se livrent des combats acharnés
pour séduire les femelles. Le gagnant est celui
qui parvient à renverser son adversaire sur le dos,
à l'aide de ses grosses « pinces ».

La punaise verte

Plus difficile encore à apercevoir
que sa cousine la punaise des
bois, la punaise verte se confond
avec les feuilles sur lesquelles
elle se tient. Elle adore
les buissons et les arbres,
aspirant la sève après avoir
percé l'écorce. Quand elle
est menacée, elle sécrète
une odeur pestilentielle
qui fait fuir l'ennemi.

La fourmi rousse

Très organisée, comme
toutes les fourmis,
la fourmi rousse vit
en colonies de milliers
d'individus et construit
des nids imposants.

UN OBSERVATOIRE À FOURMIS

1 Procure-toi un couvercle de boîte à chaussures, ou un support équivalent.

2 Mesure la hauteur du couvercle. Découpe dans du carton épais des bandes de cette dimension.

3 Plie-les en 3, de façon à former un S anguleux. Colle une des 3 parties de chaque bande sur le rebord du couvercle. En les disposant habilement, tu dois créer un véritable labyrinthe.

4 Mets un peu de confiture à un bout du labyrinthe. Dépose une fourmi à l'opposé.

5 Recouvre ta construction de film alimentaire que tu auras percé de petits trous de façon à ce que l'air puisse circuler. Puis observe et chronomètre combien de temps la fourmi met pour trouver la confiture. Recommence l'expérience et chronomètre encore. La fourmi va beaucoup plus vite. Elle a marqué son chemin !

Le bousier

C'est un drôle de coléoptère ! Il fabrique des boulettes de bouse pour nourrir ses larves.

La punaise des bois

Grise ou brune, la punaise des bois sait se faire discrète. Comme la plupart des punaises, elle a le corps aplati et protégé par une carapace. Elle laisse son odeur à son passage. L'hiver, elle s'abrite dans les maisons.

Le termite (ou fourmi blanche)

C'est un redoutable constructeur, capable d'édifier des termitières de plusieurs mètres de haut ! Le termite vit en colonies composées d'une reine énorme (elle pond plusieurs millions d'œufs au cours de sa vie), d'un mâle, d'ouvriers qui construisent et de soldats qui défendent la forteresse. Les termites adorent les miettes de bois. Ils peuvent dévaster des maisons entières. Si on en rencontre en France, ils vivent surtout dans les régions chaudes du monde.

HOU HOU ! il y a quelqu'un ?

Les papillons

Tu les vois se poser délicatement sur les fleurs pour en recueillir le nectar. Pour se nourrir, ils déroulent leur longue bouche et aspirent comme avec une paille.

Transformistes

D'abord, toutes les chenilles ne deviennent pas papillons !
Eh oui… Seules les chenilles mâles le deviennent.

Au départ, ce ne sont que de minuscules **œufs**. De ces œufs sortent bientôt des **chenilles** bien fragiles, suspendues à des fils collants qu'elles sécrètent avec leur bouche.

Pour survivre, elles doivent se fabriquer un **fourreau**, une sorte de petit sac protecteur. Pour cela, elles attachent des parcelles d'écorces et divers matériaux végétaux avec leur fil.

j'adore cocooner !

Le sais-tu ?
Quand il se repose, le papillon enroule sa trompe et la range sous sa tête… Pratique, non ?

je vole !

Le fourreau fait, elles se glissent dedans et grandissent à l'intérieur. Les chenilles mâles s'y transforment en **chrysalides**, puis un beau jour, un jour de papillon, elles la quittent sans crier gare. Quant aux chenilles femelles, elles y restent pour pondre. Les papillons adultes se nourrissent du nectar des fleurs, de la sève des arbres, mais aussi d'excréments.

Vols de nuit

Les papillons de nuit sont attirés par la lumière. Mais lorsqu'ils s'approchent de la lumière, celle-ci leur parvient plus vivement dans un œil que dans l'autre. Les papillons dévient alors leur vol du côté le plus lumineux. C'est pourquoi on les voit voler en formant des cercles, jusqu'à venir se cogner contre la source lumineuse et, parfois même, se brûler les ailes.

De jour ou de nuit ?

Les papillons forment l'un des plus grands groupes d'insectes. Il existe, estime-t-on, environ 150 000 espèces de papillons !
Si tu ne disposes pas à portée de main d'une encyclopédie des papillons, tu peux néanmoins parvenir à distinguer les papillons de jour des papillons de nuit.
Les papillons de jour ont des couleurs vives et des antennes courbes, les papillons de nuit des couleurs ternes et des antennes droites et duveteuses.

Le sais-tu ?

Long courrier...

Le grand monarque d'Amérique du Nord est un étonnant migrateur. Chaque année, il quitte son territoire pour gagner le Mexique, parcourant ainsi de ses frêles ailes quelque 2 000 km en trois semaines !

Des yeux à faire fuir

→ Les ailes des papillons sont recouvertes d'écailles. Chaque écaille peut avoir sa couleur propre. C'est leur association qui forme les si jolis motifs que tu peux voir.

→ Certains ont de gros points sur les ailes qui ressemblent à des yeux. Ce sont des **ocelles**. Ces faux yeux sont destinés à faire fuir les prédateurs – les oiseaux par exemple – qui se croient en présence d'un adversaire beaucoup plus gros qu'il ne l'est réellement.

Un appétit d'ogre

Le record du plus gros appétit est détenu par un papillon. La chenille du Polyphemus, papillon d'Amérique centrale, peut manger près de 100 000 fois son poids de naissance les deux premiers jours de sa vie.

Combien de pattes ?

Plus de six pattes ?
Ce ne sont pas des insectes.
Alors, qu'est-ce que c'est ?

Les araignées...

Les araignées appartiennent à la famille des arachnides. Elles ont huit pattes et se nourrissent exclusivement d'êtres vivants. Et pour y arriver, il faut bien qu'elles les attrapent. Voilà pourquoi elles tissent.

Une **toile d'araignée** se compose de deux types de fils : les fils gluants et les autres. L'araignée se déplace uniquement sur ces derniers, évitant d'être ainsi prise à son propre piège.

Dès qu'un malheureux s'approche de trop près de sa toile, elle le ligote avec un fil gluant, le tue avec son venin et l'avale.

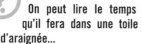

On peut lire le temps qu'il fera dans une toile d'araignée...
Repère une belle toile d'araignée. Celle-ci va se modifier en fonction du temps. Si les fils sont longs, il fera beau. Si au contraire l'araignée les a raccourcis, il fera mauvais. Et elle les laissera courts tant que le beau temps ne sera pas au rendez-vous.

TOUTES TOILES DEHORS

C'est passionnant, mais ce n'est pas toujours facile d'observer une toile d'araignée. Voici quelques astuces qui te permettront d'y parvenir :

• le jour, si tu repères une toile, humidifie-la délicatement avec un vaporisateur. Le tissage de la toile t'apparaîtra avec netteté ;

• la nuit, éclaire la toile avec une torche électrique.

De jour comme de nuit, tu peux t'amuser à faire sortir les araignées. Il suffit pour cela de tapoter un des bords de la toile. Effet garanti !

... et autres arachnides

**La famille des arachnides ne comprend pas que des araignées.
Elle compte aussi les acariens, les tiques et... les scorpions.**

La tique

Elle est toute petite, mais redoutable.
Son abdomen se gonfle du sang qu'elle aspire. Lors de tes promenades,
il se peut qu'une ou plusieurs tiques s'accrochent à tes jambes,
par exemple. N'essaie surtout pas de les enlever. Montre-les à un médecin
dès ton retour de promenade. Il te dira ce qu'il convient de faire...

Le scorpion

Il vit essentiellement dans les régions
tropicales et méditerranéennes. Il possède
quatre paires de pattes et une paire de pinces.
Son abdomen se termine par un aiguillon.
Heureusement, seule la piqûre de quelques
espèces, absentes de nos régions, peut être
mortelle !

Le faucheux

Il se promène dans les prés et les bois
du haut de ses pattes longues et filiformes.
Il ressemble à une araignée mais ce n'en est
pas une : il n'a ni venin, ni soie. Tu peux
l'attraper, tu ne risques rien sinon de garder
une patte dans la main !

DANS NOS LITS !

Les acariens sont un ordre de
petits arachnides invisibles à
l'œil nu (ils mesurent entre 0,2
et 0,03 mm). Ils se nourrissent
de peau et de poils et trouvent
refuge dans les literies, les tapis,
les rideaux, etc. 1,5 g de peau
peut nourrir 1 million d'acariens !
Et 1 g de poussière peut contenir
jusqu'à 1 500 acariens. Il en
existe plus de 50 000 espèces.
Tout cela ne serait rien si leurs
déjections ne provoquaient
des allergies !

... et le mille-pattes ?

Il exagère, et de beaucoup... Le plus commun n'en possède que 42.
Néanmoins, ce grand nombre de pattes lui permet d'être très rapide.
La scutigère, par exemple, court si vite qu'elle peut attraper une mouche
en plein vol ! Prends garde à ne pas la toucher, sa piqûre est venimeuse.

L'étrange vie du ver de terre

En France, ils représentent en moyenne plus d'une tonne à l'hectare. Ils n'ont pas d'yeux, pas d'oreilles, pas de pattes... Si on les coupe en deux, chaque partie continue à vivre de son côté... Qu'est-ce que c'est ? Le lombric, surnom : ver de terre.

L'ami des fermiers

Toute la journée, le ver de terre reste dans son trou. Il sort à la nuit tombée pour se nourrir de végétaux en décomposition qui se trouvent autour de son trou. Puis, la tête au fond du trou, il mange la terre. Il rejette ses déchets par la queue, qui reste à la surface. Ses déplacements sont très utiles. En creusant, les vers de terre permettent à la terre de s'humidifier et de s'aérer. Si par malheur il ne retrouve pas le chemin de son trou, le pauvre ver de terre sèche au soleil et meurt.

Le sais-tu ?

On estime à 10 millions le nombre de vers de terre enfouis sous un hectare de pelouse grasse et humide. Tout de même !

Une drôle de constitution

➜ Son corps est couvert de tout petits poils antidérapants : pratique !

➜ Le ver de terre n'a pas d'yeux ! Mais il perçoit la lumière par le corps.

➜ Il peut mesurer jusqu'à 30 cm dans l'hémisphère Nord et 3 m dans l'hémisphère Sud.

Tu sais faire ça ?

➜ Son corps est constitué d'anneaux qui sont autant de muscles qui lui permettent de se déplacer.

fastoche ! Je suis tout en muscles.

➜ Un ver ingurgite une à trente fois son poids de nourriture par jour !

CRÉE UN ÉLEVAGE DE VERS DE TERRE

Il te faut

- 1 grande bouteille en plastique
- Du papier noir
- Du ruban adhésif
- 1 cutter
- Des petits cailloux
- Du sable
- De la terre
- Et... des vers de terre, bien sûr !

1 Coupe la bouteille à mi-hauteur. Perce quelques petits trous au fond de la bouteille.

2 Dispose des petits cailloux, puis du sable et de la terre au fond de la bouteille.

3 Arrose, puis dépose quelques vers de terre.

4 Recouvre-les de feuilles mortes et arrose quotidiennement.

5 Fixe le haut de la bouteille à l'aide d'un morceau de ruban adhésif.

6 Maintenant, fabrique un étui pour ta bouteille, afin que tes vers de terre restent dans l'obscurité. Pour cela, découpe dans la feuille de papier noir un rectangle de 20 x 30 cm, puis assemble les 2 bords de façon à ce que l'étui couvre bien à la fois les parois de la bouteille et puisse coulisser dessus. Il faut pouvoir l'ôter pour pouvoir observer ce qui se passe dans le laboratoire des vers de terre.

Observe Au bout de plusieurs mois, tu ne pourras plus distinguer les différentes couches que tu avais disposées. Tout est brassé. Les vers de terre ont mangé ce qui était végétal et ont rejeté ces éléments sous forme d'éléments plus fins encore dont pourront se nourrir les plantes.

→ S'il est coupé en deux, chacun des deux morceaux continue de vivre et reconstitue la partie manquante : tête ou queue. Quel pouvoir !

Le sais-tu ?

Il existe des fermes où on pratique l'élevage des vers de terre pour qu'ils produisent un humus très fertile à partir de fumier. On appelle cela la lombriculture.

eee ! vous m'avez

coupé en 2 !

oh, pardon.

Ça gazouille dans les bois...

**Quel raffut dans les bois ! Quelle cacophonie !
Du lever du jour à la tombée de la nuit, on s'affaire,
on construit, le tout en chantant...**

Le geai des chênes

Dans les forêts de chênes, tu as de fortes
chances de rencontrer des geais. Leur plumage
brun est tacheté de bleu, de blanc et de noir
sur les ailes. À défaut de les voir, tu pourras
percevoir leur cri strident. On dit que le geai cajole.
Omnivore, il apprécie particulièrement les glands.
À l'automne, il les enfouit dans la terre avec
son bec pour avoir la joie de les déterrer plus tard.

Le coucou gris

On l'entend plus qu'on ne le voit, le coucou !
Il a le dos gris et le ventre rayé de brun.
Il a de drôles de mœurs. Outre le fait qu'il
ne peut pas s'empêcher de pondre dans
le nid des autres (voir p. 138), il raffole des
chenilles processionnaires. Or, couvertes
de poils urticants, celles-ci lui arrachent
la peau du gésier à chaque fois qu'il
les avale. Pour pallier ce léger
inconvénient, il mue régulièrement
pour s'en débarrasser.

Le pic épeiche

Comme le pivert, le pic épeiche appartient
à la famille des pics. Il a des ailes grises
et le ventre d'un blanc rosé. En bon pic, il creuse
l'écorce des arbres en se servant de sa tête comme
d'un marteau et de son bec comme d'un burin.
Il frappe 6 à 12 coups en moins d'une seconde.
Heureusement, il a un os mou entre le bec et
le crâne, ce qui lui permet d'amortir les chocs !

Le bouvreuil

Il ne faut pas le confondre avec le rouge-gorge, même
si le mâle a le ventre et la gorge rouges ou rose vif.
La femelle, quant à elle, a le ventre gris rosé.
Son chant est composé d'une succession de notes
basses entrecoupée d'un air flûté. Il vit en couple
l'été et en petits groupes l'hiver. Ce bel oiseau vit
dans les arbustes des sous-bois, mais il n'hésite pas
à en sortir pour aller manger les bourgeons des arbres
fruitiers dans les vergers.

Le rouge-gorge

Ses ailes et son dos sont bruns, sa gorge et sa poitrine
d'un joli rouge orangé. Plus petit qu'un moineau, il est
rondelet et haut sur pattes. Peu farouche, il est pourtant
très agressif, prêt à tout pour défendre son territoire.
Il chante toute l'année sauf en été. En hiver, le mâle
et la femelle défendent chacun leur territoire en chantant
des airs mélodieux et allongés.

... et dans les champs

À l'automne on les voit s'envoler, seuls ou en formations. Certains partent passer l'hiver dans les pays chauds, tandis que les autres se préparent à affronter l'hiver en glanant dans les champs ce qui reste des cultures.

Le merle

On le reconnaît aisément à son plumage noir et à son bec d'un beau jaune d'or. Il a l'œil cerclé de jaune. La femelle est brun foncé. C'est l'un des premiers chanteurs du petit matin. On dit qu'il siffle ou chante. Quand ils ne vivent pas en ville ou à proximité, certains d'entre eux migrent à l'automne en direction du sud-ouest. C'est un oiseau très largement répandu.

Le grand corbeau

Noir lui aussi, il n'y a pourtant aucun risque de le confondre avec le merle. Il est beaucoup plus gros (aussi imposant qu'une buse) ; son bec, massif, et ses pattes sont d'un noir profond. Il vit souvent en couple, uni pour la vie. On peut l'observer en groupes quand il se nourrit dans les champs ou les terrains où la nourriture est abondante. On dit que le corbeau croasse.

132

La pie bavarde

Dans son bel habit blanc et noir, la pie jouit pourtant d'une mauvaise réputation : celle d'être une voleuse. Et c'est vrai qu'elle vole, mais ce n'est pas la seule. Elle se déplace au sol en sautillant. Très sociables, les pies vivent toute l'année en couple ou en petits groupes bruyants. On dit que la pie jacasse ou jase.

La mésange bleue

C'est la mésange la plus commune et c'est la seule de son espèce à être bleue. Pour être plus précis, ses ailes et sa queue sont bleues, son ventre jaune, son dos vert. Très habile, elle cherche sa nourriture suspendue à de fines branches. Comme les autres mésanges, elle ouvre les graines en martelant leur coque. Elle pousse de petits cris aigus (tsi-tsi). On dit qu'elle zinzinule.

La caille des blés

C'est le plus petit gallinacé (la famille des poules et autres perdrix) d'Europe. Elle a un corps rond et massif, son plumage est beige. Elle migre chaque hiver en direction du sud. À la différence des autres oiseaux migrateurs, elle ne suit pas toujours la même route. Très appréciée des chasseurs pour sa chair savoureuse, elle niche dans les champs de blé ou de luzerne. On dit que la caille pituite, courcaille, margotte ou cacabe.

Survivre aux rigueurs de l'hiver

Pour la plupart des oiseaux, la venue de l'hiver représente un moment difficile. Si certains résolvent le problème en s'envolant vers les pays chauds, d'autres doivent user de stratégies pour parvenir à survivre.

Manger pour résister au froid

→ **Les oiseaux sont capables de supporter des froids extrêmes, à une seule condition : trouver de quoi manger.** Lorsque les nuits sont très rigoureuses, les oiseaux maigrissent, perdant jusqu'à parfois 10 % de leur poids en quelques heures de gel. Ils doivent donc compenser cette perte pendant les courtes heures de jour.

→ Il faut savoir que les oiseaux doivent maintenir une température corporelle supérieure à 40 °C en moyenne, la température la plus élevée de tout le règne animal ! Autant dire que les oiseaux doivent manger continuellement. Ce sont paradoxalement les petits oiseaux qui ont besoin d'absorber les plus grandes quantités de nourriture. Le rouge-gorge ou la mésange bleue, par exemple, doit pouvoir ingurgiter chaque jour l'équivalent du tiers de son poids.

La vérité sur l'hirondelle

À la fin de l'été, les hirondelles quittent les régions froides, comme le nord de l'Europe, et migrent vers les pays chauds des régions tropicales. Leurs ailes effilées leur permettent de voler rapidement (60 km/h en moyenne) et pour ne pas perdre de temps, elles capturent des insectes en plein vol. Les premières hirondelles reviennent généralement vers la fin du mois de mars. Mais elles sont alors seules ou par deux. La migration la plus importante a lieu un mois plus tard. C'est pourquoi on dit qu'une hirondelle ne fait pas le printemps.

COMMENT LES AIDER

Si un oiseau meurt rarement de froid, en revanche, l'hiver venu, ils sont menacés par la faim et la soif. Aux premiers froids, fabrique une boule de suif ou de saindoux à suspendre, et aide ainsi les oiseaux à passer l'hiver en leur offrant de quoi se nourrir.

Il te faut

• 1 boule de suif (graisse de mouton) ou de saindoux (graisse de porc)
• 1 gobelet en plastique
• De la ficelle épaisse ou du fil de fer

1 Achète chez ton boucher un peu de saindoux ou de suif (de quoi remplir un gobelet). Fais-le fondre dans une casserole au bain-marie.

2 Procure-toi un gobelet assez épais et résistant à la chaleur (type gobelet en carton pour goûter d'anniversaire). Perce un trou au fond et passes-y un fil de fer ou de la ficelle d'une longueur telle que tu pourras suspendre ensuite ta boule de suif à une branche. Fais un nœud à la base du gobelet.

3 Verse la graisse fondue dans le gobelet en veillant à ce que la ficelle ne tombe pas au fond.

4 La graisse refroidie, démoule-la. Suspends la boule à une branche ou à une fenêtre. Les oiseaux vont venir se nourrir. Profites-en pour les observer, silencieusement.

→ Quelques oiseaux font des provisions. Les **mésanges noires** et les **sittelles**, par exemple, coincent des graines dans les crevasses des écorces. Les mésanges cachent également des insectes.

→ On pense que les oiseaux se souviennent de l'emplacement de leur butin à l'aide de repères visuels. Le **geai** retrouve des glands, même sous la neige !

QUI CHANTE ICI ?

Tu peux enregistrer le chant des oiseaux avec un simple magnétophone. Fais-le de préférence le matin de bonne heure, un jour ensoleillé. Et surtout reste discret. Si des oiseaux se sont arrêtés en t'entendant, ils reprendront leur chant dès que tu seras redevenu silencieux.

À TOI DE JOUER...

Sais-tu :

1 / Qui margotte ?
2 / Qui jase ?
3 / Qui croasse ?
4 / Qui cajole ?
5 / Qui zinzinule ?

Réponses : 1 / la caille margotte - 2 / la pie jase - 3 / le corbeau croasse - 4 / le geai cajole - 5 / la mésange bleue zinzinule

Les rapaces, les as des airs

Les rapaces sont des oiseaux carnivores. Leur bec est crochu, leurs griffes (serres) sont puissantes et recourbées. Certains sont des chasseurs nocturnes comme la chouette, d'autres des chasseurs diurnes, comme l'aigle.

Chouette un hibou !

Ne confonds pas la chouette et le hibou, même si tous deux sont des rapaces nocturnes qui peuplent nos forêts...

➔ La **chouette**, qu'on se le dise, n'est pas la femelle du hibou ! Ce sont deux oiseaux différents. La chouette a la tête ronde et la face aplatie. Les espèces les plus communes sont la **chouette chevêche**, l'**effraie** et la **hulotte**. La chouette chasse la nuit. Elle a une vue perçante et une ouïe très fine. Elle fond silencieusement en piqué sur sa proie, prise par surprise. Il faut dire que ses ailes se terminent par un bord souple, ce qui lui évite de faire du bruit. Il arrive que la chevêche chasse pendant la journée : elle devient alors, évidemment, plus facile à observer.

Le sais-tu ?

La chouette est dotée de muscles grâce auxquels elle parvient à faire bouger les plumes de sa tête. Ces mêmes muscles lui permettent aussi de recouvrir un de ses yeux, comme si elle faisait un clin d'œil !

➔ Le **hibou**, quant à lui, porte des aigrettes sur la tête. Le plus grand et le plus majestueux d'entre eux est le **hibou grand duc**, aujourd'hui menacé de disparition. D'une hauteur de 65 cm, il pèse environ 2,5 kg (à titre de comparaison, une chouette chevêche pèse 200 g environ), et peut se nourrir de lièvres entiers !

Le roi des airs

→ L'**aigle royal** est le roi des rapaces diurnes. Avec une envergure de plus de 2 m, c'est aussi l'un des plus grands rapaces du monde. S'il vit le plus souvent en montagne – on peut en voir dans les Alpes, les Pyrénées ou le massif Central –, on peut le rencontrer dans les plaines. Son territoire couvre une centaine de km2. Il construit son nid, que l'on appelle l'aire, dans les parois des falaises. Celui-ci peut atteindre 2 à 3 m de diamètre, et, après plusieurs années, plus de 2 m de haut ! Il se nourrit de lièvres, chamois, marmottes, reptiles et autres habitants des montagnes qu'il dépèce avec son bec crochu et puissant. Il est capable de soulever dans les airs des charges de plus de 3 kg.

Le **sais-tu ?**

Le **plus grand** oiseau de proie est le condor des Andes. Son envergure peut atteindre 3 m. Impressionnant, non ?

Le **plus petit** rapace est le faucon pygmée. Certains mesurent à peine 15 cm de long…

Le faucon hobereau

→ Le **faucon hobereau** est un rapace diurne très discret et très mobile, capable de déchiqueter ses proies (de petits oiseaux comme l'hirondelle, ou de gros insectes comme la libellule) en plein vol. C'est un rapace migrateur qui passe l'hiver dans la savane africaine. Comme les autres faucons, et à l'instar du coucou, il ne construit pas son nid, mais squatte le nid des autres, de préférence celui des corneilles.

QU'Y AVAIT-IL AU MENU ?

Les rapaces laissent de précieux indices de ce qu'ils ont mangé, sous forme de pelotes de réjection. Ce sont des boules denses, qu'ils rejettent par le bec. En effet, les rapaces se nourrissent de petits rongeurs ou d'oiseaux, mais ne digèrent pas parfaitement leurs proies. Après les avoir avalées, ils font le tri : ce qui est assimilable, ils le conservent, ce qui ne l'est pas (os, plumes, poils), ils le rejettent. Si, au cours de tes promenades, ou dans une grange, tu découvres une de ces pelotes, ramasse-la soigneusement. De retour chez toi, fais-la tremper quelques minutes dans de l'eau tiède pour la ramollir. Sors-la et dépose-la sur une feuille de papier journal. À l'aide d'une pince à épiler, extrais un à un les petits os, les plumes, et mets-les de côté. Tu pourras reconstituer, comme s'il s'agissait d'un puzzle, le squelette des animaux que le rapace a ingurgités.

Comme on fait son nid...

D'instinct, les oiseaux savent construire leur nid et choisir les matériaux les mieux adaptés. Mais l'âge leur fait acquérir expérience et agilité. Les plus beaux nids sont ceux des oiseaux les plus âgés.

Histoires de nids

Les nids ne sont pas, comme on le dit trop souvent, les maisons des oiseaux. Dans la plupart des cas, ce ne sont que des lieux destinés à la ponte, à la couvaison et à l'élevage des oisillons jusqu'à leur envol. En dehors de cette période, les oiseaux, à l'exception de quelques-uns d'entre eux, sont sans domicile fixe.

Chaque oiseau construit un nid propre à son espèce. Mais certains sont plus malins que d'autres...

• L'**étourneau**, petit passereau à plumage sombre tacheté de blanc, désinfecte son nid avec un pesticide. En effet, avant de nicher dans un tronc d'arbre, le mâle le tapisse de végétaux contenant des substances qui tuent les parasites.

• Le **troglodyte** mâle présente plusieurs ébauches de nids à sa femelle avant de construire. C'est elle qui choisit puis finalise le travail.

• Les **hirondelles** ont une salive spéciale dont elles se servent comme d'un ciment pour consolider leur nid fait de boue et de gravier fin.

• Le **grèbe huppé**, qui ressemble un peu à un canard, construit un nid flottant sur l'étang. Il édifie une plate-forme de roseaux qui flotte sur l'eau et qu'il amarre aux plantes voisines.

• Le **flamant rose** fait un tas de boue, au sommet duquel la femelle pond un œuf, un seul...

• Quant aux **coucous**, ils ont résolu le problème avec efficacité : ils pondent dans le nid des autres (grisettes, rouges-gorges, etc.). Quand ils naissent, les petits sont nourris par leurs parents adoptifs...

LE NICHOIR BOîTE AUX LETTRES

Dès le début de l'automne, pense à construire un nichoir pour les oiseaux, afin que, dès les premiers froids, les oiseaux puissent venir le visiter.

1 Demande à un adulte de découper ta planche en respectant le schéma ci-dessous.

20	30	18	20	18	16
toit	dos	devant	côté	côté	fond

16

18   20

2 Perce un trou au milieu de la planche de devant. Le diamètre de ce trou d'envol est différent selon les espèces. Ainsi :
- Pour une mésange bleue ou charbonnière, perce un trou de 30 mm de diamètre
- Pour un moineau, perce un trou de 40 mm de diamètre
- Pour un étourneau, perce un trou de 50 mm de diamètre

3 Cloue les 2 côtés avec le fond, puis avec le panneau de devant. Cloue ensuite le dos.

4 Fixe avec de la colle forte la charnière sur le toit. Pose le toit, puis fixe l'autre partie de la charnière sur le dos.

5 Fixe les 2 anneaux à vis sur le dos. Passe une ficelle à l'intérieur.

6 Accroche ton nichoir à 1,50 m du sol au minimum. Ne le place ni en plein soleil ni dans un endroit qui serait toujours à l'ombre.

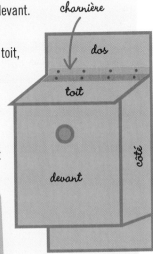

charnière

dos

toit

côté

devant

Remarques :
- Ne dérange jamais les oisillons en ouvrant le nichoir, les parents risqueraient de les abandonner.
- Nettoie le nichoir à la fin de l'hiver en enlevant toutes les saletés qui s'y sont accumulées.

Les petits hôtes des champs

Au début de l'été, quand les blés sont mûrs, les champs abritent une faune active, constituée en grande partie de petits mammifères. Perchés sur les tiges des graminées ou fouissant le sol, campagnols, mulots ou rats se régalent...

Le mulot

C'est un petit rat des champs, vif et rapide, aux grandes oreilles et au ventre clair. On le rencontre souvent dans les champs de blé : il raffole des grains. Quand il se met à faire froid, il rentre volontiers dans les maisons.

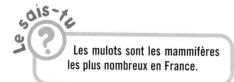

Le sais-tu ?
Les mulots sont les mammifères les plus nombreux en France.

Le rat des moissons

Lui aussi il est tout petit et apprécie les champs de céréales. Son pelage, épais et doux, est roux sur le dessus, blanc en dessous. Pour grimper le long des tiges des céréales et y faire son nid, il s'agrippe avec ses pattes postérieures et entortille sa queue. Son nid en forme de balle pend à 30 cm environ du sol.

Le campagnol

À la différence du mulot, il a de petites oreilles. Le ventre et le dos sont de la même couleur. Il passe son temps à creuser des galeries dans les champs. Avant l'hiver, il fait des provisions de nourriture (grains, feuilles, etc.) qu'il entasse dans ses galeries.

La musaraigne

Elle est toute petite. On la reconnaît à son museau pointu. Elle possède une queue aussi longue que son corps. Elle mange et dort alternativement par phases de 3 heures. Mais elle doit être prévoyante : elle n'a pas les ressources pour sauter un repas.

Le sais-tu ?
Le plus petit mammifère du monde est une musaraigne. Il s'agit de la musaraigne étrusque. Elle pèse de 1,5 à 2,5 g.

QUI S'Y FROTTE S'Y PIQUE !

Les hérissons sortent au printemps. À l'automne, ils regagnent leur cachette et y restent tapis jusqu'à la fin de l'hiver. Ils s'endorment en couple, roulés en boule, dans un petit nid douillet fait de feuilles.

Le hérisson mesure 25 cm environ et pèse 500 g. Les plus gros peuvent atteindre 2,2 kg.

Ses piquants sont constitués de poils agglutinés. Au moindre danger, le hérisson se met en boule, replie sa tête sous son corps et dresse ses piquants. Il en a en moyenne 5 000.

Le hérisson passe la plupart de son temps à chercher sa nourriture. Ce qu'il apprécie par dessus tout, ce sont les limaces, les escargots, les insectes et les petits rongeurs...

➔ Grâce à ses piquants, un hérisson peut s'attaquer à une vipère et en sortir victorieux. Pour cela, il use de ruse. Il titille la vipère, mais dès que celle-ci menace de ses crochets, il se roule en boule. Il répète cette tactique jusqu'à épuisement de l'adversaire. Puis il se met à tourner autour d'elle à toute vitesse pour l'étourdir. Il en profite alors pour se jeter sur elle et la mordre derrière la tête. Il la laisse lentement agoniser avant de la manger tranquillement.

➔ Le hérisson **sort la nuit**. Le jour, il reste caché dans son abri, un trou garni d'herbes et de feuilles.

➔ Une femelle peut donner naissance à **six bébés à la fois**. Les petits naissent tout nus, blancs et sans piquants. Les premiers piquants, blancs et mous, apparaissent quelques heures après la naissance.

Mammifères des bois et des forêts

La forêt est un monde en soi. Elle abrite quantité de mammifères, grands ou petits, qui cohabitent, s'épient, se traquent, se pourchassent. Si tu veux les observer, attends de préférence la tombée de la nuit, et respecte le plus grand silence.

Quel panache !

➜ Adorable petit mammifère au pelage roux ou gris, l'**écureuil** est d'une agilité remarquable. Pour observer les écureuils, tu peux lever le nez et les voir bondir de branche en branche ou grimper le long des troncs ; tu peux aussi baisser le nez : c'est en effet au sol que l'écureuil se nourrit le plus souvent.

➜ L'écureuil est un rongeur. Il doit sans cesse ronger pour user ses dents qui poussent en permanence. Il se nourrit de cônes, de faines et de noisettes. Il vit le jour. La nuit, il se retire dans son petit nid douillet fait de feuilles et de mousses.

➜ L'écureuil le plus courant en France est l'**écureuil roux**. Son corps (25 cm) est à peine plus grand que sa queue (20 cm). Comme tous les écureuils, il se sert de sa queue comme d'un gouvernail pour se maintenir en équilibre sur les branches. Il l'utilise aussi comme un parachute quand il doit quitter un arbre précipitamment ; et comme un parapluie ou un parasol, selon le temps. C'est enfin un outil de dissuasion : il n'hésite pas à la hérisser quand il faut impressionner l'ennemi. Et des ennemis, il en a... mais celui qu'il craint le plus est la martre (voir p. 144).

Le sais-tu ?

Caisse d'épargne !
À l'automne, en prévision de l'hiver, l'écureuil se met à faire des provisions. Tout ce qu'il récolte, il l'enterre à 20 ou 30 cm dans le sol dans des petites cachettes qu'il retrouve à l'odorat. Il arrive parfois qu'il ne revienne pas chercher sa nourriture. Cela permet à la forêt de s'enrichir de nouveaux arbres !

Un fieffé rusé...

➜ Le **lièvre brun** est un cousin du lapin, mais un cousin seulement. Ses oreilles sont nettement plus longues, et noires à leur extrémité ; ses pattes arrière sont beaucoup plus grandes. Il faut dire que c'est une proie très recherchée et qu'il lui faut sans cesse échapper à de multiples dangers.

Pour cela, il a plusieurs tours dans son sac :

• Grâce à ses pattes puissantes, il peut détaler à toute allure et faire des pointes de vitesse à plus de 80 km/h. Il se déplace par bonds pouvant atteindre 3 m.

• Il peut aussi utiliser la technique du camouflage : il s'aplatit sur le sol et se déplace comme s'il rampait. Sioux !

➜ Le lièvre est un herbivore qui sait tirer meilleur profit de tout morceau d'écorce ou de jeunes branches. Comme le lapin, il est coprophage : il mange ses propres crottes pour en extraire toutes les vitamines qu'elles contiennent encore.

➜ S'il ne creuse pas de terrier, il s'abrite dans un gîte où la femelle (la hase) donne naissance à deux, trois ou quatre petits, cinq fois par an. Pour le voir, il faut attendre la tombée de la nuit.

Une vraie fée du logis

Le sais-tu ?
Pour se saluer, les blaireaux se frottent le derrière.

➜ Le **blaireau** vit en solitaire et se conduit un peu comme un vieux garçon.

Il habite dans un terrier qu'il construit et aménage avec soin. Celui-ci est composé de longues galeries reliées entre elles. Au bout de chacune d'elles, il crée une chambre où il dispose un matelas d'herbes et de feuilles, et qu'il entretient quotidiennement. Pas question de vivre dans la crasse ! Les WC sont situés à l'extérieur du terrier, les chambres sont nettoyées régulièrement.

➜ Pour éviter que sa maison ne se salisse trop vite, il n'apporte jamais de nourriture à l'intérieur. Il faut dire qu'il en passe du temps chez lui. S'il n'hiberne pas à proprement parler, il vit au ralenti dès les premiers froids venus. Après avoir pris bien soin de s'engraisser pendant l'été, il se retire dans ses appartements et se met à somnoler avec assiduité. Il n'en sort que pour boire un petit coup !

➜ Pour marquer son territoire, il frotte ses fesses contre les troncs d'arbre et y dépose son odeur.

Plus d'un tour dans son sac

➜ Son magnifique pelage roux, son appétit et le fait qu'il puisse avoir été contaminé par la rage lui ont valu bien des misères de la part des hommes. Mammifère carnivore, le **renard** – il est vrai – mange tout ce qu'il trouve : campagnols, mulots, oiseaux, insectes et même les limaces ! Et quand il ne trouve pas de proies, il se rabat sur les baies. Ce qu'il ne mange pas immédiatement, il en fait des réserves qu'il enterre dans le sol. Il les retrouve grâce à son flair très puissant.

➜ C'est un redoutable chasseur : pour attraper des oiseaux, il fait le mort. Ses techniques de chasse lui ont valu sa réputation d'être rusé... comme un renard. Extrêmement vif, agile, il court, saute et peut même nager.

➜ Le renard vit dans un terrier qu'il creuse ou qu'il vole à un blaireau par exemple. La renarde s'y installe l'hiver et met bas au mois d'avril. La portée compte cinq renardeaux en moyenne. C'est le mâle qui chasse alors et rapporte de la nourriture aux petits.

Le sais-tu ?
Renard doit son nom actuel à Maître Renart, le héros du *Roman de Renart*, recueil de récits du Moyen Âge (XIIe-XIIIe siècle). Jusque-là on l'appelait « goupil ». Mais Renart était si malin qu'il a fini par imposer son nom à la postérité.

Attention vampire !

➜ La **martre** ou marte est un petit carnivore (environ 45 cm de long) qui appartient à la famille des mustélidés. Il en existe 3 espèces :
– la martre ordinaire
– la fouine
– et la zibeline.

Le sais-tu ?
La belette, cousine de la martre, est le plus petit carnivore d'Europe. Son nom signifie « la petite belle ».

Quelle famille !

La famille des mustélidés est une famille de carnivores dont la plupart sont des buveurs de sang. Elle regroupe :
• la belette   • l'hermine
• le putois   • le furet
• la martre

➜ La martre se nourrit d'oiseaux. Elle profite de leur sommeil pour les saigner à la nuque, à l'instar des autres mustélidés. Elle est aussi le prédateur le plus redoutable des écureuils. Elle se déplace aussi facilement sur le sol que dans les arbres, grâce aux griffes qui terminent ses pattes.

Les travailleurs de la terre

C'est un porc, un porc sauvage. Le sanglier vit dans la forêt en groupes que l'on appelle les hardes. Seuls les vieux mâles vivent en solitaires.

Ses poils, les soies, sont durs et raides. Ce sont de véritables refuges à poux et à mites. Pour s'en débarrasser, le sanglier se roule dans la boue et se frotte contre l'écorce des arbres.

Il a une tête énorme et triangulaire : la hure.

Le mâle a 2 défenses visibles. Elles lui servent à lutter et à fouiller le sol.

Il pèse de 50 à 150 kg et mesure un peu moins de 1 m au garrot.

Il a un excellent flair grâce aux 2 grosses narines qui terminent son groin.

➜ La femelle du sanglier s'appelle la **laie**. Elle peut mettre bas de **10 à 14 marcassins** à la fois. Les petits naissent avec un pelage beige clair zébré de rayures plus foncées.
➜ Pendant la journée, le sanglier se repose. Il se retire dans sa **bauge**, un abri fangeux fait de branches, de feuilles mortes et d'herbes.

➜ La nuit, **il peut parcourir 50 km** pour chercher de quoi manger.
➜ Pour trouver sa nourriture, il laboure la terre avec son **groin**. En la remuant, il déniche tout ce dont il raffole : glands, vers, larves, racines...

145

Les seigneurs de la forêt

**Cerfs et chevreuils appartiennent à la famille des cervidés.
Comment les reconnaître ?**

- On reconnaît aisément le cerf à ses grands bois.
- Le cerf se déplace en courant, alors que le chevreuil se déplace en faisant des bonds.
- Le plus grand des deux est le cerf. Le chevreuil est beaucoup plus petit.
Il pèse environ 8 fois moins.
- On peut aussi les distinguer à leur derrière !
S'il a le derrière blanc, c'est un chevreuil.
S'il a le derrière beige, c'est un cerf.

➜ Tous deux se déplacent la nuit pour manger.
Ils se nourrissent de l'écorce des arbres et apprécient tout particulièrement les jeunes pousses avec leurs bourgeons.
➜ Ils avalent ce qu'ils mangent sans mâcher, et, comme la vache, stockent la nourriture dans leur estomac. Le jour, ils se reposent et ruminent.

Le sais-tu ?

Si tu vois des traces sur les arbres au-delà de 1,20 m, c'est un cerf qui est passé par là. En dessous, ce sont des chevreuils ou des sangliers.

Qui est passé par ici ?

Pour savoir qui est passé par là, apprends à reconnaître les animaux aux traces qu'ils laissent sur le sol.

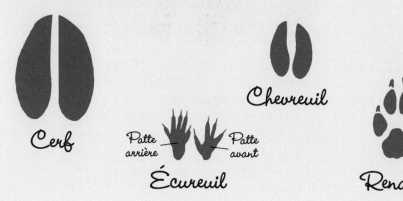

Cerf

Chevreuil

Patte arrière — Patte avant
Écureuil

Renard

L'âge de ses bois

→ Le cerf vit en groupe : la **harde**, composée d'un mâle, de plusieurs femelles, les **biches** et de leurs petits, les **faons**.

→ C'est à l'automne que les cerfs fondent leur famille. On les entend **bramer** pour appeler les femelles. Il n'est pas rare que deux mâles s'affrontent pour une femelle. Le vainqueur l'emporte à coups de bois.

À TOI DE JOUER...

Sais-tu :
1 / Qui glapit ?
2 / Qui vagit ?
3 / Qui brame ou rée ?
4 / Qui grogne ou grommelle ?

Réponses : 1 / Le renard glapit - 2 / Le lièvre vagit - 3 / Le cerf et le chevreuil brament ou réent - 4 / Le sanglier grogne ou grommelle.

→ Seuls les mâles portent des **bois**. Ce ne sont pas des cornes, mais des os, des excroissances des os du front. On les appelle des «andouillers». Les bois tombent chaque année, à la sortie de l'hiver. Ils repoussent en quelques mois. Ils sont alors couverts d'une peau couverte de poils : le **velours**. Quand cette peau devient trop gênante, ils s'en débarrassent en se frottant contre les troncs des arbres. Les bois peuvent mesurer jusqu'à 1,60 m de large et peser plus de 20 kg. On peut connaître l'âge d'un cerf au développement de ses bois. Ils sont pourvus à leur base de petites glandes odoriférantes. Ils s'en servent pour marquer leur territoire en les frottant contre l'écorce des arbres.

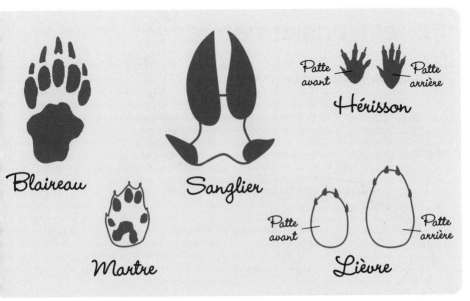

Blaireau

Martre

Sanglier

Patte avant — Patte arrière
Hérisson

Patte avant — Patte arrière
Lièvre

Qui siffle ainsi ?

Si tu te promènes dans des régions rocailleuses, ensoleillées, pour éviter de te trouver nez à nez avec un serpent, marche en faisant du bruit et tape le sol avec un bâton.

Anatomie

Les dents sont très pointues mais ne leur permettent pas de mâcher.

→ Les serpents sont des **reptiles**, une famille de vertébrés qui compte aussi les tortues, les lézards et les crocodiles.

→ Les serpents sont des animaux à **sang froid**. Leur cerveau ne leur permet pas de réguler la température de leur corps. Il leur faut se mettre au soleil pour se réchauffer.

→ Un tiers seulement des serpents sont venimeux. Et seul un petit nombre d'entre eux représente une menace pour l'homme. Les serpents qui ne sont pas venimeux étouffent leur proie ou l'avalent tout entière.

→ La partie supérieure de la bouche abrite une cavité tapissée de cellules sensibles aux odeurs. Quand il tire la langue, il recueille des particules, notamment celles laissées par des proies potentielles. Le fait qu'elle soit coupée en deux lui permet de couvrir une surface plus importante.

→ Les yeux sont dépourvus de paupière. En revanche, ils sont recouverts d'une écaille transparente.

→ Les serpents n'ont pas de tympan. Ils ont dans l'oreille un os relié à la mâchoire qui leur permet de percevoir les vibrations.

Le corps est recouvert d'écailles.

→ La langue est bifide, en forme de fourche.

Il se déplace par reptation, en décrivant des courbes. Ses écailles ventrales lui permettent de s'agripper au sol.

Vipère ou couleuvre ?

→ À première vue, il n'est pas facile de distinguer une vipère d'une couleuvre. Toutefois, sache que :

• la vipère mesure rarement plus de 80 cm. Plus long, c'est sûrement une couleuvre.

Tête de vipère

• la vipère a un corps massif et trapu, la couleuvre est allongée et mince.

• la vipère a une tête souvent triangulaire et distincte du corps ; la couleuvre a une tête plus longue qui prolonge le corps.

Tête de couleuvre

• la queue de la vipère est courte et épaisse ; celle de la couleuvre est longue et effilée.

→ Cela dit, reste toujours prudent. Si la **couleuvre n'est pas venimeuse**, elle peut infliger des morsures très douloureuses. La **vipère est venimeuse**, et donc dangereuse pour l'homme, même si ses morsures sont rarement mortelles...

Et l'orvet ?

L'orvet ressemble à un serpent, mais c'est un lézard, un lézard apode (c'est-à-dire dépourvu de pattes). Gris ou doré, on le rencontre fréquemment dans toute l'Europe. Long de 30 à 50 cm, il laisse facilement sa queue pour échapper à ses prédateurs.

Le sais-tu ?

• Le plus long serpent du monde est le python réticulé. Il peut mesurer jusqu'à 10 m de long. Il vit en Asie du Sud-Est.

• Le plus rapide est le mamba noir. Il peut se déplacer sur terre à une vitesse de 20 km/h.

Prudence !

Si tu pars te promener, emporte avec toi un Aspivenin que tu te procureras facilement en pharmacie. En cas de morsure, il faut impérativement conserver son calme et s'étendre pour éviter d'accélérer la circulation du sang. Nettoie la plaie, puis pose un bandage pas trop serré. Préviens immédiatement un adulte et rendez-vous au service des Urgences de l'hôpital le plus proche ou téléphonez aux pompiers.

Ça grouille de grenouilles

Vivant aussi bien sur terre que dans l'eau, grenouilles, crapauds et tritons peuplent les abords des mares et des étangs. Ces fascinants amphibiens subissent bien des transformations avant d'atteindre l'âge adulte.

Tôt ou tard, les têtards...

La plupart des batraciens ne gagnent la mare qu'une fois par an, pour s'accoupler et y pondre leurs œufs. Il faudra de 3 à 4 mois pour que l'œuf devienne grenouille. Entre-temps, il se sera produit toute une suite de métamorphoses spectaculaires.

Les larves naissent dans l'eau et respirent, comme les poissons, grâce à des branchies. Les adultes respirent grâce à leurs poumons et à leur peau fine et souvent couverte d'un liquide, le mucus qui, chez certaines espèces comme les dendrobates, contient des toxines.

La femelle pond dans l'eau de nombreux œufs.

À 3 ans, la grenouille peut à son tour se reproduire.

À 1 semaine, le têtard respire dans l'eau grâce à ses branchies.

CRÔÔA

À 8 semaines, les pattes arrière apparaissent.

À 12 semaines, c'est au tour des pattes avant. Les branchies deviennent poumons.

À 16 semaines, c'est une jeune grenouille.

une mare pour tes têtards

Tu vis ou tu es en vacances à proximité d'un étang qui grouille de têtards. C'est l'occasion rêvée de te lancer dans un élevage et d'observer jour après jour leur métamorphose.

• Début juin est la meilleure période. Prélève, à l'aide d'une petite pelle, un peu de vase dont tu tapisseras le fond d'une grande cuvette en plastique. Cueille quelques plantes aquatiques avec leurs racines et replante-les dans la vase.

• Dispose la cuvette chez toi, dans un endroit clair mais pas directement exposé aux rayons du soleil.

• Prends un seau et une épuisette à maillage fin et retourne à l'étang. Prélève une vingtaine de têtards. À ton retour, place-les dans la cuvette que tu as préparée. Observe-les chaque jour.

• Dès que les pattes avant apparaissent, sache que tes têtards sont devenus carnivores. Donne-leur chaque jour un peu de viande hachée.
Dispose aussi un gros caillou dans ta bassine. Les têtards vont bientôt être pourvus de poumons et pouvoir respirer à l'air libre. Recouvre ta bassine d'un morceau de grillage fin, parce qu'ils ne vont pas tarder à sauter...

• Relâche-les dès qu'ils sont devenus adultes.

Grenouille ou crapaud ?

Tout ce qui est amphibien n'est pas grenouille. Apprends à les reconnaître :

➜ Le **crapaud commun** est le personnage principal de nombreux contes, celui qui fait peur, dégoûte et devient prince charmant.
Il a un corps massif et peut mesurer jusqu'à 20 cm. Trapu, il est d'un brun verdâtre. Il peut vivre 35 ans !

➜ Le **triton** vit exclusivement sous l'eau. Il a le corps beaucoup plus allongé que celui d'une grenouille. Ses pattes arrière sont fines et guère plus développées que ses pattes avant.

➜ La **grenouille verte** est la seule à être vraiment aquatique. Elle se nourrit d'insectes qu'elle attrape en plein vol. Son dos vert, d'aspect granuleux, est parsemé de taches sombres. De novembre à mars, elle prend ses quartiers d'hiver enfouie dans la vase et attend les beaux jours.

➜ La **rainette** est toute petite (pas plus de 5 cm) et vit surtout dans les arbres. Elle possède sous les pattes des ventouses qui lui permettent de s'accrocher aux branches.

151

Une coquille pour maison

Oh l'escargot, quelle drôle de petite bête ! Il porte sa maison sur son dos, bave pour mieux glisser, pond par la tête, est à la fois mâle et femelle. Faisons le point sur cet étrange animal.

L'estomac dans les talons

L'escargot est un **mollusque**, c'est-à-dire qu'il a un corps mou. Il est protégé par une coquille dure et calcaire dans laquelle il se cache au moindre danger.

L'escargot est un **gastéropode**. Son tube digestif et son estomac sont situés dans son pied. Les autres organes vitaux, poumons, cœur, reins et intestin sont situés dans la partie supérieure, protégée par la coquille.

L'escargot est **hermaphrodite**. Chaque escargot possède à la fois les organes sexuels mâles et les organes sexuels femelles. Mais pour se reproduire, il faut qu'il y ait deux escargots. L'un sort ses organes femelles, l'autre ses organes mâles.

L'escargot pond ses **œufs** par un petit trou situé sur la tête, derrière les cornes. Au préalable il creuse un trou dans la terre, à 10 cm de profondeur, pour pouvoir les y déposer. Sitôt les œufs pondus, il rebouche le trou avec de la terre. Trois semaines plus tard en sortent de petits escargots revêtus d'une coquille fragile.

Un beau temps pour les escargots

→ L'escargot aime la **pluie**. En effet, pour pouvoir bien respirer, il faut que l'intérieur de ses poumons soit recouvert d'une fine pellicule d'eau.

→ L'escargot **hiberne**. À la fin de l'été, il s'enfonce dans la terre et se replie au fond de sa coquille qu'il ferme avec une substance qui durcit à l'air. Il réapparaît au début du printemps avec les premières pluies et part en quête de jeunes feuilles à manger. Il craint aussi le soleil.

→ On connaît l'âge d'un escargot grâce aux stries situées sur sa coquille. En effet, l'escargot ne mue pas. Sa coquille grandit avec lui.

→ L'escargot **rampe** grâce aux muscles de son pied et au mucus qu'il sécrète. Ce mucus lui permet aussi de monter ou de descendre verticalement sur une paroi en restant collé. Il avance lentement : il lui faut 10 minutes pour parcourir 1 m !

Tu peux t'amuser avec des amis à organiser une course d'escargots. Trouvez un terrain plat. Chacun place le sien sur une ligne de départ. Tracez une ligne d'arrivée 50 cm plus loin. Et que le meilleur gagne !

Mollasse la limace ?

→ La limace est aussi un **mollusque**, mais un mollusque sans coquille ! Elle ne sort, pour se nourrir, que la nuit. Elle se déplace peu. La limace grise parcourt au mieux entre 4 et 7 m chaque jour ; la limace noire, 2 à 3 m... C'est l'ennemi par excellence du jardinier, puisqu'elle raffole de tout ce qu'il fait pousser. Elle peut manger jusqu'à la moitié de son poids en une seule nuit.

Élève des escargots

Il te faut un grand aquarium ou un récipient du même type. Dispose dedans du terreau, des branches, des feuilles, de la mousse. Couvre l'aquarium avec un morceau de grillage fin. Donne, chaque jour, à tes escargots, de la verdure : feuilles de salade, de chou, petits morceaux de carotte, etc.

Arrose-les chaque jour avec un pulvérisateur. Correctement hydratés, ils pourront sortir.

Avec un peu de chance, 3 semaines plus tard, tu verras apparaître de petits escargots !

CHAPiTRE 3

Comprendre

On n'a cessé de te le répéter : il faut être prudent quand on part plusieurs jours d'affilée, et en particulier se préoccuper du temps qu'il va faire.
Voici quelques rudiments de météorologie.

Ce chapitre va aussi te permettre de mieux comprendre ce qui se passe sous tes pieds.
Quelle roche foules-tu ? Quels fossiles peux-tu trouver ?
Sonde les profondeurs de la Terre.

L'air qui nous entoure

Tout autour de nous, l'air est présent. C'est d'ailleurs en partie grâce à lui que la vie sur Terre existe. L'air est indispensable aux êtres vivants.

Qu'est-ce que l'air ?

Il est très facile de vérifier la présence de l'air autour de nous.
Essaie, la prochaine fois que tu prendras un bain, d'y rentrer tout doucement, en observant bien les parties de ton corps immergées. Tu verras se former plein de petites bulles qui disparaîtront au fur et à mesure de tes mouvements dans l'eau. Ce sont des bulles d'air restées accrochées à ta peau.

Sais-tu de quoi est composé cet air que tu respires ?
C'est un mélange de multiples gaz, formé en majeure partie d'azote (78 %) et d'oxygène (21 %). L'air contient aussi des gaz rares : argon, néon, hélium, krypton, méthane, ozone… et, dans les basses couches, de la vapeur d'eau et du dioxyde de carbone.

Plus léger que l'air ?

Contrairement à ce que l'on pourrait croire spontanément, l'air a un poids. Pour t'en assurer par toi-même, effectue cette petite expérience extrêmement simple et très convaincante.

Procure-toi 2 ballons de baudruche, gonfle-les, puis ferme-les. Attache un morceau de ficelle de 20 cm de long à chaque ballon. Prends un règle carrée. Attache un morceau de ficelle au milieu de la règle. Puis attache à chaque extrémité de la règle un ballon à l'aide de la ficelle. La règle doit tenir à l'horizontale quand tu la soulèves par la ficelle du milieu. Une fois ton mobile en équilibre, perce à l'aide d'une aiguille l'un des 2 ballons. La règle bascule du côté du ballon gonflé, plus lourd en raison de l'air qu'il contient.

L'effet de serre

L'effet de serre est un phénomène dont on parle souvent aujourd'hui à cause de la pollution et que l'on rend responsable du réchauffement planétaire. Il est lié à la présence dans l'atmosphère de certains gaz qui piègent le rayonnement émis par la Terre (infrarouge). Une partie de ce rayonnement est renvoyée vers le sol, contribuant ainsi au réchauffement des basses couches de l'atmosphère.

Tu peux reproduire ce phénomène en petit chez toi à l'aide de matériel simple.

1 Remplis chacun des 2 verres d'eau à température ambiante jusqu'à mi-hauteur.

2 Fais tremper un thermomètre dans chaque verre, partie effilée plongée dans l'eau.

Il te faut

- 2 verres de la même taille
- 2 thermomètres à mercure
- 1 feuille de plastique transparent
- 1 élastique
- De l'eau

3 Recouvre un des 2 verres de plastique transparent et ferme avec l'élastique, comme tu le ferais pour un pot de confiture.

4 Place tes 2 verres dans un endroit ensoleillé. Puis viens observer ce qui s'est passé 2 heures plus tard.

La température a nettement augmenté dans le verre couvert par la feuille de plastique. Tu peux aussi voir que de la vapeur d'eau s'est formée.

Explication Les 2 verres ont été exposés au Soleil de la même façon. Mais le verre couvert d'un plastique transparent a retenu la chaleur prisonnière. La température de l'eau a donc augmenté. Les gaz à effet de serre fonctionnent comme la pellicule de plastique. L'azote et l'oxygène sont quasiment transparents au rayonnement infrarouge. Ils ne sont pas impliqués dans l'effet de serre. En revanche, la vapeur d'eau, le gaz carbonique, le méthane, l'ozone, etc. sont autant de gaz qui piègent le rayonnement émis par la Terre (infrarouge) et contribuent directement à l'effet de serre.

Quel temps fera-t-il ?

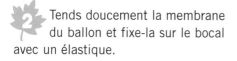

L'air qui nous entoure est plus ou moins dense. Son poids exerce une pression : la pression atmosphérique.

Pour la mesurer, on utilise un instrument : le baromètre. Grâce à lui, on peut prévoir le temps qu'il fera le lendemain.

Construction

Il te faut

- 1 bocal en verre de 6 à 7 cm de diamètre et d'environ 10 cm de haut
- 1 ballon gonflable
- 1 élastique
- 1 crayon bien taillé
- 1 tube de colle
- 1 feuille de papier épais
- 1 planche de 30 x 10 x 1 cm
- 1 planche de 26 x 15 x 1 cm
- De la colle à bois

1 Découpe un ballon gonflable en 2 morceaux. Tu obtiens une membrane qui va te servir à recouvrir le haut de ton bocal.

2 Tends doucement la membrane du ballon et fixe-la sur le bocal avec un élastique.

3 Pose et colle le crayon sur la membrane, mine dirigée vers l'extérieur.

4 Assemble, en les collant, les 2 planches l'une sur l'autre (reporte-toi au schéma ci-contre).

5 Attends que la colle prenne. Pendant ce temps, trace sur la feuille de papier épais des lignes, qui formeront autant de repères.

6 Quand ta construction est bien solide, colle la feuille de papier sur le support vertical.

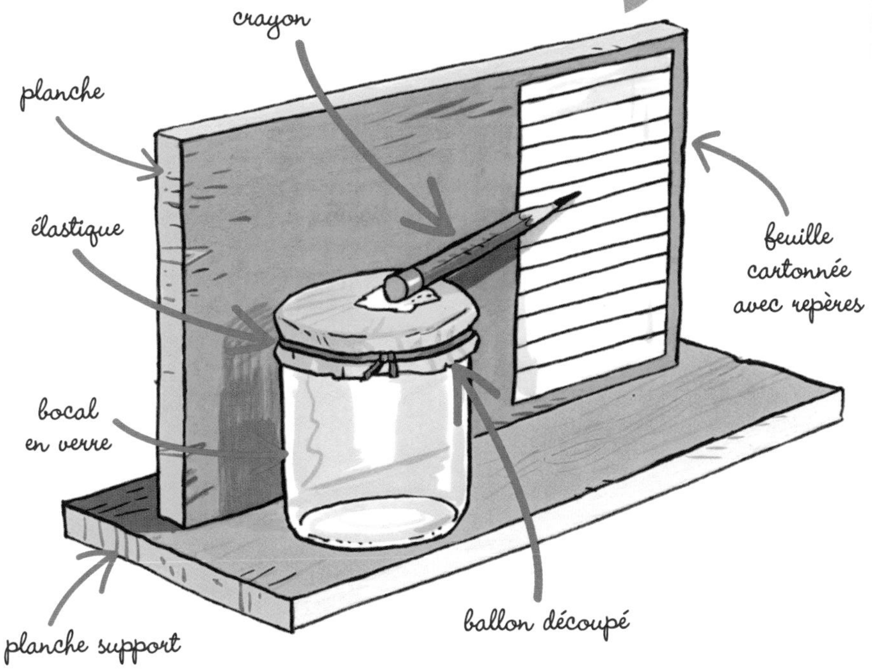
crayon
planche
élastique
feuille cartonnée avec repères
bocal en verre
ballon découpé
planche support

Alors, ça monte ou ça descend ?

La pointe du crayon monte ou descend, plus ou moins rapidement. Ce sont ces changements qu'il va te falloir interpréter. Il faut savoir que la pression augmente lorsque la pointe du crayon s'élève, et que la pression descend quand la pointe du crayon s'abaisse.
Ces variations de pression atmosphérique se font souvent avec une bonne journée d'avance par rapport au temps présent :

→ **une montée lente** indique **un beau temps stable**
→ **une descente lente** indique du **mauvais temps pour plusieurs jours**
→ **une montée ou une descente rapide** indique **un changement de temps brutal** (par exemple une tempête).

Comment ça marche ?

Comme tous les baromètres, il réagit à la pression atmosphérique. Dans le cas présent, la pression s'exerce sur la membrane du ballon et fait se déplacer légèrement l'extrémité du crayon.

Histoires de gouttes

Ruisseaux, fleuves, mers, évaporation, nuages, pluie... c'est le cycle de l'eau. Mais comment les gouttes se forment-elles et pourquoi les arcs-en-ciel apparaissent-ils après la pluie ?

Fais pleuvoir

De la pluie qui mouille, voici ce que tu vas créer. Il est vivement conseillé de demander à un adulte de t'aider à réaliser cette expérience simple mais au cours de laquelle tu pourrais te brûler.

Il te faut

- 1 grande cuillère métallique
- 1 casserole avec un bec verseur et un couvercle
- 1 petite assiette
- 1 gant de cuisine ou 1 manique
- De l'eau
- 1 réfrigérateur ou congélateur

1 Place la grande cuillère au congélateur ou dans le bac à glace de ton réfrigérateur.

2 Pendant que la cuillère refroidit, fais bouillir de l'eau dans ta casserole, fermée par un couvercle.

3 Quand l'eau bout, sors ta casserole du feu, en laissant le couvercle dessus. De la vapeur s'échappe par le bec verseur. Place une petite assiette sous le bec verseur.

4 Sors la cuillère du congélateur. Enfile le gant de cuisine et prends ta cuillère dans la main. Tiens-la devant le bec verseur de la casserole.

5 De la pluie se met à tomber de la cuillère froide.

Comprends-tu pourquoi ?

Explication Lorsque de la vapeur d'eau rencontre une surface (ou une masse d'air) plus froide, elle se condense. Cela veut dire que le gaz redevient liquide. Dans cette expérience, la vapeur dégagée par l'eau chaude rencontre l'air froid provenant de la cuillère. Plus la cuillère est froide, plus la vapeur se transforme en gouttelettes.

La prophétie des grenouilles

Tu as la possibilité de prévoir le temps
si tu es à proximité d'un point d'eau.
Observe le comportement des rainettes :

→ Si l'air est sec, elles restent cachées
dans l'eau, car leur peau se déshydrate
facilement.

→ Si l'air est humide (à l'approche
de la pluie), elles sortent de l'eau.

Une rainette enfermée dans un bocal avec
de l'eau et une échelle réagit de la même façon.
Mais plutôt que de les enfermer, contente-toi de les observer dans
leur milieu : les animaux sauvages ne sont pas faits pour vivre en captivité.

Crée un arc-en-ciel

Ce faisceau aux mille lumières provoque à chaque fois l'émerveillement.
Tu peux, toi aussi, créer artificiellement un arc-en-ciel dans ton jardin.

1 Attends le moment où le Soleil est bas dans le ciel.

2 Mets-toi dos à lui, en face d'une masse sombre (buisson, rocher, etc.)

3 Prends un tuyau d'arrosage et tiens-le en l'air, mets ton pouce devant
le trou pour obtenir de fines gouttelettes.

La lumière du Soleil pénètre dans la bruine de ton jet d'eau et est déviée
par les gouttelettes pendant son trajet. Les 7 couleurs visibles qui composent
la lumière blanche (rouge, orangé, jaune, vert, bleu, indigo, violet) se séparent
et forment un arc-en-ciel.

Les couleurs invisibles de l'arc-en-ciel

Il existe des couleurs qui composent la lumière blanche et qui sont invisibles
pour l'homme. Avant le rouge, il existe un rayon lumineux qui s'appelle
l'infrarouge, et après le violet, l'ultraviolet. Certains insectes ou animaux
sont capables de voir ces lumières, comme la mouche, qui aperçoit
les rayons infrarouges.

Reconnaître les nuages

Tu vois à quoi peut ressembler un nuage, mais sais-tu que selon sa forme, son nom change ? Apprends à mieux connaître ces masses d'eau en suspension qui se déplacent au-dessus de toi.

Lire dans les nuages...

En fonction de leur forme, de leur couleur, de leur place dans le ciel, les nuages t'apprennent beaucoup sur le temps qu'il va faire.

Fin, blanc, étiré en bandelette et placé très haut dans le ciel (entre 6 et 10 km d'altitude), il indique un changement de temps. C'est un **Cirrus**.

Ce vaste voile gris foncé se déplace assez haut dans le ciel (entre 2 000 et 6 000 m d'altitude) et peut être traversé par le Soleil. Il peut former des nuages de pluie ou de grêle. C'est un **altostratus**.

Ce nuage bas dans le ciel forme une masse continue et grise. Il apporte de légères pluies. C'est un **stratus**.

Blanc, plat à la base et rebondi au sommet, c'est le plus commun des nuages. Nuage de beau temps, c'est un **cumulus**.

Fabrique un nuage

Envie de capturer les nuages ? Enfermes-en un dans un bocal…

Verse dans ton bocal de l'eau bouillante jusqu'à mi-hauteur (prends garde à ne pas te brûler).
Pose un plateau métallique sur le bocal.
Puis place les glaçons dessus.
Observe le nuage se former entre l'eau chaude et le plateau froid…

Il te faut

- 1 bocal en verre épais
- 1 plateau en métal (couvercle plat)
- Des glaçons
- De l'eau que tu auras fait bouillir dans une casserole

Explication Comme pour la pluie, la vapeur d'eau qui s'évapore des océans s'élève grâce au vent, et se condense à la rencontre de courants froids présents en altitude. Les gouttelettes forment alors des nuages. Puis, en grossissant, elles tombent sur le sol et le nuage « craque », car elles deviennent trop lourdes pour rester en suspension dans l'air.

Le sais-tu ?

Tu vois parfois un voile laiteux qui fait halo autour du Soleil et de la Lune. Ce nuage s'appelle un Cirrostratus.

Gigantesque cumulus, se développant en hauteur (il peut faire plus de 10 000 m de la base au sommet), il apporte des tempêtes de pluie, de la grêle ou de la neige. C'est un cumulonimbus.

Hou ! Ça souffle...

Dans un même endroit, une petite brise légère peut
se transformer en rafales de vent puis se calmer à nouveau
pour finalement disparaître complètement.
Mais alors d'où vient le vent ?

De l'air en mouvement

Lorsqu'une masse d'air froid rencontre
une masse d'air chaud, l'air froid s'abaisse
sous l'air chaud qui s'élève.
C'est le mouvement de ces masses d'air
qui provoque la formation des vents.

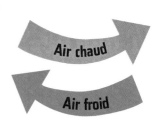

Ce qu'il faut au préalable savoir, c'est :
• que l'air chaud monte
• que l'air froid descend
Tu peux t'en assurer par toi-même en remplissant un verre de glaçons,
et un verre d'eau chaude (attention à ne pas te brûler !)
Si tu passes ta main, sous le verre d'eau froide, ta main va se refroidir.
En revanche si tu places ta main au-dessus du verre d'eau chaude, elle va
se réchauffer.

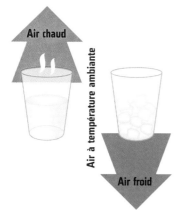

L'air qui entoure les verres monte
dans l'atmosphère ou descend selon sa
température. L'air du verre à glaçons devient
plus compact car il se contracte. Il est donc
plus lourd que l'air ambiant, et descend.
C'est ce qui refroidit ta main.
À l'inverse, l'air du verre d'eau chaude
devient moins dense car il se dilate.
Il est donc plus léger que l'air ambiant,
et monte. Ta main a donc plus chaud
quand elle est au-dessus.

164

Il existe quantité de noms de vents différents, selon qu'ils sont secs ou pleins d'humidité, qu'ils sont chauds ou frais, doux ou violents.

- La bise est un vent froid qui souffle du nord.
- La brise est un petit vent frais et doux. La brise de mer souffle dans la journée de la mer vers la terre ; la brise de terre souffle la nuit de la terre vers la mer.
- Le mistral est un vent violent. Froid, agité, il s'engouffre dans la vallée du Rhône et balaie le pays méditerranéen.
- Le foehn est un vent du sud, chaud et sec. Il souffle dans les Alpes.
- Les alizés sont des vents qui soufflent entre les tropiques et l'équateur.
- Le zéphyr est un vent de littérature... Il est doux et agréable.

Ça tourne, ça tourne...

Grâce à cet instrument de mesure que l'on appelle « anémomètre », tu vas pouvoir calculer la vitesse du vent...

1 Colle ensemble les 2 baguettes en bois en les croisant à angle droit.

2 Enfile une perle sur le clou, et plante-le au point de jonction des baguettes.

3 Enfile les 2 autres perles dans le clou, et enfonce-le dans le morceau de bois servant de socle.

4 Fixe avec de la colle ou de la pâte à fixe, à chacune des extrémités des 4 baguettes, le fond des gobelets, tous orientés dans le même sens.

Observe le gobelet coloré, et compte le nombre de tours qu'il réalise en 60 secondes.

Il te faut

- 3 gobelets blancs
- 1 gobelet coloré
- 3 perles
- 1 clou
- 2 baguettes en bois
- 1 long bout de bois rectangulaire pouvant faire office de socle
- De la colle ou de la pâte à fixe

Il y a de l'électricité dans l'air

C'est le cumulonimbus, appelé « nuage d'orage », qui amène les éclairs et le tonnerre. Il provoque un phénomène qui te paraîtra moins compliqué si tu apprends à le connaître.

La formation d'un orage

1 Un « nuage d'orage » se forme lorsqu'une grosse masse d'air chaud et humide s'élève rapidement, puis se refroidit.

2 L'air autour du nuage est donc devenu très sec, puisque l'humidité a été absorbée par celui-ci.

3 L'air en mouvement dans le nuage produit de l'électricité positive au sommet et négative à la base.
Le sol, les arbres, etc. sont chargés, eux, d'électricité positive.

4 C'est l'échange d'électricité entre les charges négatives et positives qui provoque une gigantesque étincelle appelée éclair.

5 L'air, chauffé par la décharge électrique, se dilate (il prend plus de place) très rapidement, émettant un bruit d'explosion appelé le tonnerre.

ÉCHANGE D'ÉLECTRICITÉ
Un éclair peut se produire entre les charges négatives et positives d'un même nuage, de deux nuages, ou entre celles d'un nuage et du sol.

Orage en cage

Il te faut

- 1 ballon de baudruche
- 1 pique à brochette métallique
- 1 paire de gants de vaisselle en caoutchouc

Pour cette expérience, il est préférable que l'air de la pièce soit sec. En effet, il faut que la décharge soit assez forte pour que tu puisses percevoir l'étincelle. Et surtout, n'oublie pas de mettre tes gants ! Tu es toi aussi un conducteur d'électricité...

1 Gonfle le ballon, puis frotte-le énergiquement contre tes vêtements pendant quelques instants de façon à le charger d'électricité statique.

2 Approche doucement le ballon de la brochette. Cela va produire des grésillements.

3 Fais la même chose maintenant dans une pièce sombre. Vois-tu l'étincelle qui se produit en même temps que les grésillements ?
Tu as produit un petit orage.

Explication Lorsque tu frottes ton ballon, il reçoit de petites charges électriques négatives (grâce à l'électricité statique). Et quand tu l'approches de la brochette qui est un objet en métal conducteur d'électricité, toutes les charges électriques du ballon se concentrent en direction de la pointe. Une décharge électrique se produit alors (petit éclair), échauffant l'air qu'elle traverse, et lui faisant subir une dilatation accompagnée de crépitements (bruits d'explosion).

Comment se protéger ?

Souviens-toi des consignes de sécurité à appliquer si tu es pris dans un orage (cf. p. 22), et suis ces indications qui te dicteront les attitudes à adopter :
- Si tu le peux, abrite-toi dans une maison bien isolée ou dans une voiture vitres fermées.
- Éloignez-vous les uns des autres si vous êtes en groupe.
- Continue à marcher ou agenouille-toi en réduisant le contact avec le sol (en mettant ton imperméable sous tes genoux par exemple).
- Si tu te trouves sous la tente, éloigne-toi des piquets en fer. Idéalement, enfonce une balle de tennis à chaque pointe du piquet. Cela fera office de paratonnerre.

Pluton Neptune   Uranus

Le système solaire

La Terre fait partie d'un système de planètes qui gravitent autour du Soleil. On l'appelle donc système solaire. Comment est-il organisé ? Où se situe notre planète bleue parmi les autres ? C'est ce que tu vas découvrir...

9 planètes, et bien d'autres choses

Le système solaire est composé du Soleil, de neuf planètes, de plus de 60 lunes, et d'innombrables astéroïdes et comètes. Il a la forme d'un disque de plus de 12 milliards de kilomètres de diamètre.
Toutes les planètes du système solaire ont un nom, et également une place déterminée. Apprends cette phrase pour te rappeler leur nom, de la plus proche à la plus éloignée du Soleil :

« **M**adame, **V**ous **T**ombez **M**al, **J**e **S**uis **U**n **N**avet **P**ourri ! »

(**M**ercure, **V**énus, **T**erre, **M**ars, **J**upiter, **S**aturne, **U**ranus, **N**eptune, **P**luton)

OH ! un légume qui parle !

Navet pourri !

Navet pourri !

Saturne   Jupiter   Mars | Mercure   Le Soleil
                              Terre ┘ └Vénus

Prisonnières du système solaire

**Pourquoi la ronde des planètes autour du Soleil ne s'arrête-t-elle pas ?
Et que se passerait-il dans le cas contraire ?**

L'exercice suivant va te permettre de comprendre facilement.

Prends une pelote de laine et roule la laine en boule. Fais un nœud pour
la fermer en prenant bien soin de laisser dépasser un brin de laine d'environ
50 cm. Tiens ta pelote par le brin de laine qui dépasse, et fais faire des
cercles à ta boule. Puis, après quelques tours, quand elle a pris de la vitesse,
lâche la ficelle, et observe la trajectoire de la boule. Elle s'échappe en traçant
une droite et cesse de tourner.

Explication

Quand la boule est retenue par la ficelle, elle ne peut pas partir
en ligne droite. Elle se déplace alors sur un cercle autour de ta main, bien qu'étant
entraînée droit devant elle par la force de ton mouvement. Pour les planètes, c'est
pareil. La force d'attraction qui les retient (comme ta ficelle) sur une trajectoire
circulaire autour du Soleil s'appelle la gravité. Si la gravité n'existait plus, elles
partiraient tout droit dans l'univers, sans jamais s'arrêter...

M : Mercure ou Mars ?

Pour te souvenir du nom de la première planète (Mercure), et ne pas
la confondre avec la quatrième (Mars), dis-toi que la plus proche du Soleil
est munie d'un gigantesque thermomètre en mercure pour se rendre compte de la chaleur qu'il fait (environ 430 °C... le jour) !

Le Soleil...

Le Soleil est une étoile d'un volume 1 295 000 fois plus grand que celui de la Terre. Et comme il n'est qu'à 150 millions de kilomètres de cette dernière, il lui fait profiter de sa chaleur et de sa lumière qui met 8 minutes à atteindre la Terre !

Observe le Soleil sans danger

Ne regarde jamais le Soleil en face trop longtemps, tu risquerais de te brûler les yeux. Fabrique donc une longue-vue en papier si tu t'intéresses à cet astre captivant !

Il te faut

- 1 tube en carton d'une dizaine de cm de diamètre et d'environ 30 cm de long ; tu peux récupérer un tube à affiche, par exemple
- 1 épingle
- Du papier calque
- Du ruban adhésif

Alors, ça chauffe là-haut ?

1 Fixe à l'aide du ruban adhésif le papier calque aux deux extrémités de ton tube.

2 Fais un trou avec une épingle au centre du papier d'un des côtés.

3 Oriente ta longue-vue vers le Soleil, dans l'alignement de celui-ci, la face non percée vers ton visage.

Le Soleil apparaît, projeté, sur la face non percée. Pour pouvoir l'observer, positionne ton visage par rapport au tube de façon à le regarder de biais.

Cadran solaire

En plus de ses rayons apportant lumière
et chaleur qui permettent la vie
sur Terre, le Soleil a longtemps servi
aux hommes à connaître l'heure.
Ceci grâce à une invention ingénieuse :
le cadran solaire.

La Terre fait un tour sur elle-même (360°) en 24 heures.
1 heure équivaut donc à 15°.

1 Trace un cercle (assez grand) sur ton support (carton ou bois) avec
ton compas.

2 Divise le cercle en 24 parties égales et fais un trait à chaque division.
Numérote les traits de 1 à 24 dans le sens des aiguilles d'une montre.

3 Au centre, plante ton clou en l'inclinant à 45° vers le chiffre 12.

4 Oriente ce chiffre vers le Nord. Chaque heure sera indiquée par l'ombre
du soleil sur le cadran.

→ Pour avoir la bonne heure (en France), tu devras rajouter 1 heure
en hiver et 2 heures en été à l'heure que tu liras sur ton cadran solaire.

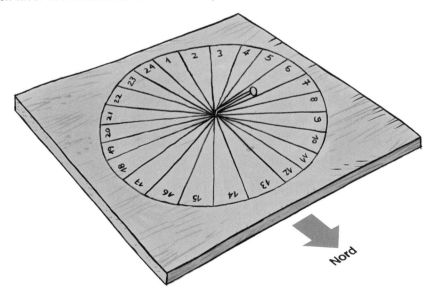

... et la Lune

La Lune est l'astre le plus proche de la Terre et elle tourne autour : c'est son satellite naturel. C'est également le seul astre que l'homme ait visité, et le plus facile à observer.

Le visage de la Lune

Tu as remarqué que la Lune montre toujours la même face à la Terre. Et cette face a l'air d'avoir des yeux, un nez et une bouche qui sourit ! Ce sont ses reliefs qui te donnent cette impression. Ils ont été créés par d'anciens volcans et des météorites que la Lune n'a pas pu stopper, ne possédant pas d'atmosphère. Parmi eux, on remarque des mers (coulées de lave solidifiées) et des cratères.

Observe la lune avec tes jumelles :
- l'**œil gauche** correspond à la Mer de la Tranquillité
- l'**œil droit** au Cratère de Copernic
- le **nez** aux Monts Apennins
- la **bouche** à la presqu'île de Platon

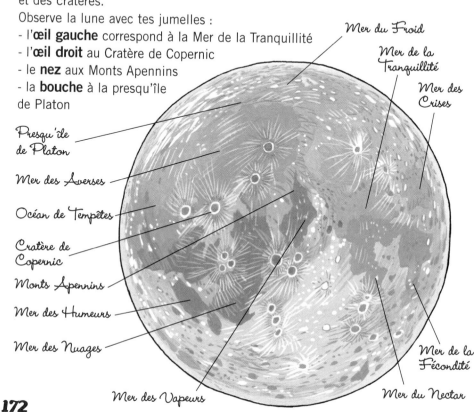

Mer du Froid

Mer de la Tranquillité

Mer des Crises

Presqu'île de Platon

Mer des Averses

Océan de Tempêtes

Cratère de Copernic

Monts Apennins

Mer des Humeurs

Mer des Nuages

Mer des Vapeurs

Mer de la Fécondité

Mer du Nectar

Le cycle de la Lune

La Lune est éclairée par le Soleil et nous renvoie ses rayons. Selon sa position autour de la Terre, on la voit en entier ou seulement par quartiers. Pour savoir si le quartier est le premier ou le dernier, place ton doigt à côté. Si la lettre formée avec ton doigt et la Lune est un « p », alors c'est le premier ; la lettre est un « d », c'est le dernier.

Nouvelle Lune   Premier croissant   Premier quartier   Pleine Lune   Dernier quartier   Dernier croissant

La Lune tourne-t-elle sur elle-même ?

Oui, comme la Terre, la Lune tourne sur elle-même. Pour le prouver, réalise cette expérience avec deux autres personnes.

Installe une chaise dans un espace dégagé. Fais asseoir la première personne dessus (= la Terre).
Demande à la deuxième personne de se tenir à l'écart de la chaise et d'observer.
Prends une bouteille (= la Lune) et tiens-la sur ta tête, l'étiquette en direction de la chaise.
Tourne autour de la chaise en regardant toujours la personne assise, qui elle, aussi, tourne la tête de façon à pouvoir continuer de te regarder.

Qu'observent les deux personnes ? La personne assise voit toujours l'étiquette. Celle qui se tient à l'écart voit tous les côtés de la bouteille.

Explication La personne ayant la bouteille sur la tête a effectué un tour sur elle-même en même temps qu'elle a fait un tour de chaise pour pouvoir montrer l'étiquette à la personne assise. L'expérience montre que tu vois toujours la même face car il faut le même temps à la Lune pour faire un tour de la Terre que pour faire un tour sur elle-même (27 jours).

Une partie de cache-cache

Parfois, lorsque la Lune ne veut pas se laisser voir du Soleil, elle se cache derrière la Terre. C'est une éclipse de Lune. Quand c'est la Soleil qui se cache, c'est une éclipse de Soleil.

Éclipse de Lune

Une éclipse totale de Lune se produit au moment où la Terre est entre la Lune et le Soleil, quand les trois astres sont bien alignés. L'ombre de la Terre recouvre alors entièrement la surface de son satellite. Ne confonds pas cela avec la nouvelle Lune (cf. p. 173), qui se produit tous les 27 jours, quand la Lune se trouve entre le Soleil et la Terre. Dans ce cas, les trois astres ne sont pas alignés.

Éclipse de Lune

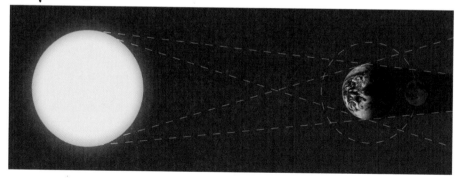

Éclipse de Soleil

Durant ce phénomène rare, la Lune se place devant la Terre, parfaitement alignée avec le Soleil. C'est l'ombre de la Lune sur une partie de la Terre qui provoque l'obscurité et empêche de voir le Soleil. Cette obscurité est totale ou partielle, selon l'endroit où l'on se trouve sur Terre.

Mais comment une si petite boule de roche peut-elle cacher une étoile gigantesque, représentant 99 % de la masse du système solaire ? Un simple caillou et un arbre t'aideront à comprendre.

• Place-toi à environ 5 m de l'arbre, face à lui. Ferme un œil, et place le caillou à 1 ou 2 cm devant celui que tu laisses ouvert.

• Regarde l'arbre derrière le caillou. Que remarques-tu ?

• Le caillou cache complètement l'arbre, bien qu'il soit des centaines de fois plus petit que lui !

Explication C'est parce que l'œil est petit que le caillou peut lui cacher l'arbre. En le rapprochant de ton œil, tu as donc l'impression qu'il est aussi grand que l'arbre. La Lune étant très proche de la Terre, tu comprends maintenant comment elle peut lui cacher une partie du Soleil.

Éclipse de Soleil

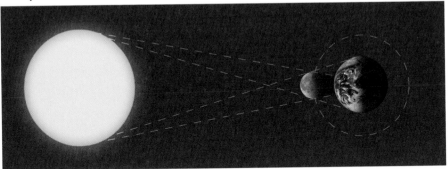

Attention !

Ne regarde pas directement le Soleil lors d'une éclipse, même partielle, car il est dans ce cas encore plus dangereux pour tes yeux. Utilise uniquement des lunettes spéciales (les lunettes de soleil ne t'apportent pas de protection assez forte) distribuées dans la majorité des magasins lors de l'annonce d'une éclipse de Soleil.

La tête dans les étoiles

Avoir le regard perdu dans l'immensité étoilée, cela fait rêver. Pars pour un voyage dans l'univers depuis la Terre, sans prendre de fusée...

Prépare-toi au voyage

Pour bien observer le ciel, installe-toi loin de toute source de lumière (lampadaire, feu de camp, lampe tempête...). Tu ne pourras voir nettement les étoiles et constellations que si le ciel est bien dégagé, et si possible sans lune. Août et décembre sont les meilleures époques de l'année pour cette observation. Repère un emplacement le jour, et prépare ton matériel pour la nuit.

Dans ton sac, tu peux prendre :
- un thermos de boisson chaude,
- un casse-croûte,
- une lampe rouge, indispensable pour éclairer sans éblouir, car tes yeux habitués à l'obscurité ne doivent pas rencontrer une source de lumière trop vive (si tu n'as pas de lampe rouge, peint l'ampoule d'une lampe de poche avec du vernis à ongles),
- une couverture (n'oublie pas de t'habiller avec des vêtements chauds, car même en été, les nuits sont fraîches, et le corps se refroidit quand il reste immobile),
- des jumelles pour observer la lune,
- une carte du ciel (cf. p. 178).

Tu pars en voyage ?

Oui, oui ! Au fond du jardin !

L'astronomie

Sais-tu ce qu'est l'astronomie ? C'est une science ancienne qui consiste à observer l'univers et tous ses phénomènes visibles ou non à l'œil nu, pour essayer de comprendre comment s'est formé l'univers, d'où nous venons, ce que sont les astres, s'il existe de la vie ailleurs que sur la Terre, etc.

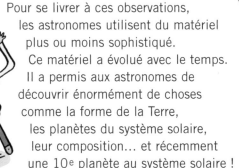

Pour se livrer à ces observations, les astronomes utilisent du matériel plus ou moins sophistiqué. Ce matériel a évolué avec le temps. Il a permis aux astronomes de découvrir énormément de choses comme la forme de la Terre, les planètes du système solaire, leur composition… et récemment une 10e planète au système solaire !

Le sais-tu ?

C'est à l'astronome et physicien italien Galileo Galilei (1564-1642) que l'on doit les fondements de l'astronomie moderne. En 1609, il fabrique sa première lunette, qui présente l'avantage de ne pas déformer les objets et de les grossir 6 fois. Il découvre en particulier le relief de la Lune, la présence d'étoiles dans la Voie lactée. En 1610, il fait une découverte capitale : il remarque d'abord 3 petites étoiles dans la périphérie de Jupiter, puis, après quelques nuits d'observation, découvre qu'elles sont 4 et qu'elles tournent autour de la planète. Ce sont les satellites de Jupiter. Pour lui, Jupiter et ses satellites sont une illustration exemplaire de ce qui se passe dans le système solaire. Ce constat lui vaut d'être mis à l'index. Jugé par le tribunal de l'Inquisition, il est condamné et doit se rétracter...

Étoile ou planète ?

Il est très fréquent que certaines planètes se laissent voir à l'œil nu ; faut-il encore savoir les reconnaître parmi les millions d'étoiles qui les entourent ! Pour cela, il existe un moyen simple : les étoiles scintillent, les planètes non. Tout simplement parce que les étoiles sont beaucoup plus éloignées que les planètes de notre système. Ainsi, leur lumière est interférée par des centaines de milliers d'« objets » passant devant (météorites, poussières d'étoiles, planètes d'autres systèmes, etc.)

La carte du ciel

Voici la carte du ciel d'été de l'hémisphère Nord. Emporte-la lors de tes observations. Elle t'aidera à repérer les constellations si tu l'orientes dans le bon sens !

La carte du ciel en été

Amuse-toi à trouver l'étoile polaire : elle indique le Nord. On la repère facilement en cherchant d'abord la Petite Ourse ! C'est la dernière étoile (et aussi la plus brillante) de sa queue. Elle est située à 470 années-lumière de la Terre.

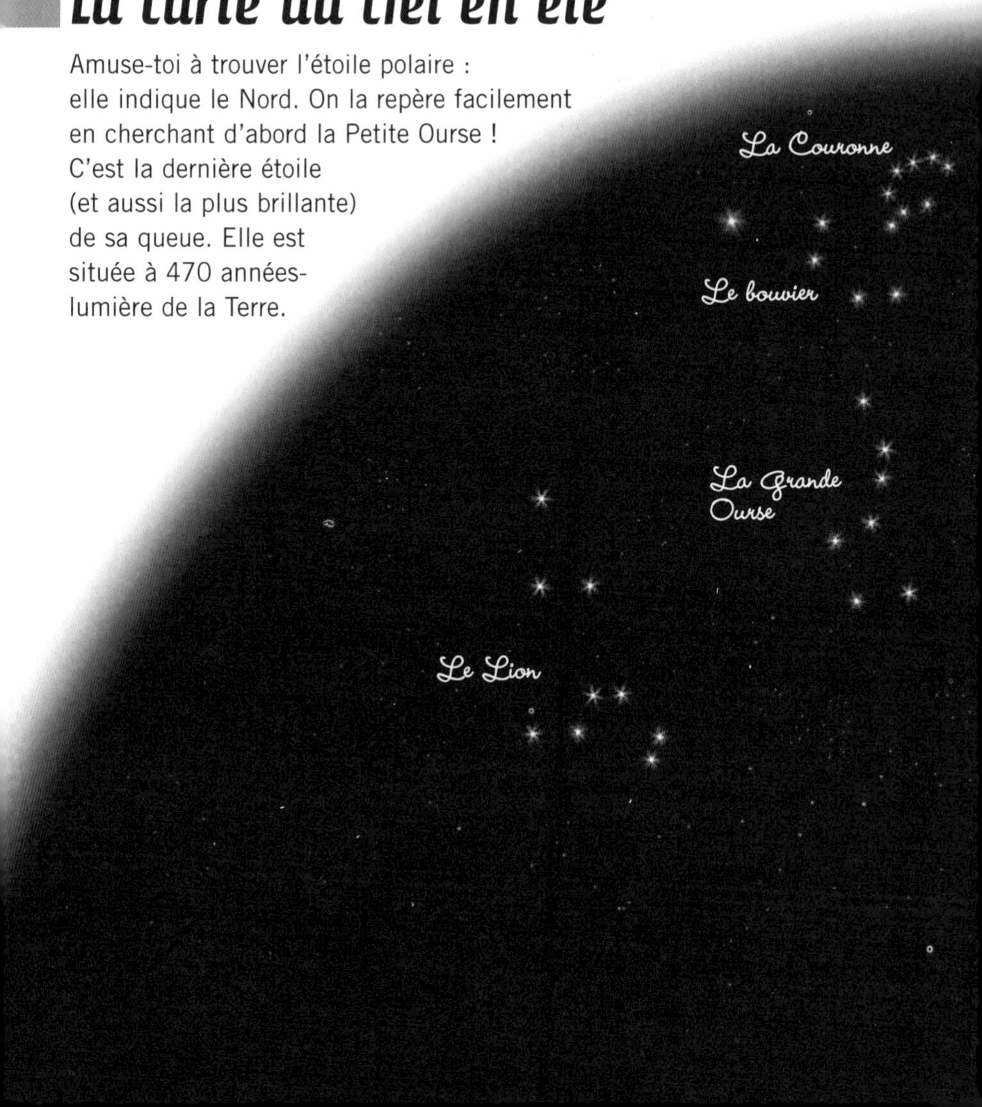

La Couronne

Le bouvier

La Grande Ourse

Le Lion

Qu'est-ce qu'une constellation ?

C'est un groupe d'étoiles aisément reconnaissable car il conserve toujours la même forme. Toutefois, les constellations n'occupent pas toujours la même place dans le ciel.

Les hommes ont donné des noms aux constellations, selon les formes qu'elles leur évoquaient : noms d'animaux, de personnages de la mythologie… Mais parfois on se demande vraiment si le nom a été bien choisi ! Par exemple, la Petite Ourse et la Grande Ourse font davantage penser à des casseroles… Ce sont les premières constellations que tu reconnaîtras grâce à cette forme particulière.

La Lyre

Le Cygne

La Petite Ourse

Cassiopée

Pégase

Andromède

Persée

L'univers et ses mystères

L'infiniment grand est quelque chose d'aussi mystérieux pour les Terriens que l'infiniment petit, si ce n'est plus. Cependant, quelques mystères ont été éclaircis...

Météorites et étoiles filantes

→ Les **météorites** sont des fragments rocheux de planètes, pouvant contenir du métal. En entrant dans l'atmosphère, seules les plus grosses (quelques tonnes) peuvent heurter la surface de la Terre sans être complètement désagrégées. Elles peuvent ainsi former de gros cratères, comme le Meteor Crater en Arizona (États-Unis) où une météorite s'est écrasée il y a environ 50 000 ans, créant un cratère de 1,4 km de diamètre et profond de 200 m !

→ Les **étoiles filantes** sont également des météorites. Ce sont les plus petites qui, en entrant dans l'atmosphère, s'échauffent et s'évaporent en faisant un trait lumineux.

Quand et où ?

Tu peux voir des étoiles filantes tout au long de l'année, mais les plus nombreuses, tu les observeras entre le 9 et le 14 août. Ces étoiles filantes s'appellent « Perséides », car elles sont localisées aux environs de la constellation de Persée (cf. p. 178-179).
Quand il n'y a pas de nuages, on peut en voir plus de 40 par heure !
La tradition veut que l'on fasse un vœu quand on en aperçoit une...

→ Il arrive que l'on assiste à une **pluie d'étoiles filantes**. En effet, quand la Terre rencontre le fleuve de poussières laissé par une comète, elle est bombardée par les débris qu'il contient. Une des dernières grandes pluies d'étoiles filantes remonte à 1966. À son maximum, il « pleuvait » 150 000 météores par heure en Amérique du Nord. La comète responsable a été baptisée Tempel-Tuttle.

Les comètes

Composées de gaz gelés mélangés avec des millions de particules de poussière, certaines comètes peuvent atteindre 10 km de diamètre. En approchant du Soleil, elles se mettent à fondre. Passant directement de l'état solide à l'état gazeux, elles libèrent une longue traînée de gaz et de poussières : la queue de la comète. Celle-ci est toujours opposée au Soleil. Elle suit la comète à l'approche du Soleil et la précède lorsqu'elle s'en éloigne.

Les astéroïdes

Les astéroïdes sont de gros morceaux de roche qui auraient dû devenir des planètes, mais qui ne le sont pas devenus. Leur surface est criblée de cratères formés par des météorites, et recouverte d'une fine couche de poussière. Les grands astéroïdes sont sphériques, mais les plus nombreux ont des formes irrégulières. Une ceinture d'astéroïdes de ce genre, datant de la formation du système solaire, gravite entre Mars et Jupiter.

Les nébuleuses

Les nébuleuses te fascineront car ce sont des mondes en formation. En effet, dans une nébuleuse, la gravité forme des boules de gaz tournoyantes (appelées « protoétoiles »). Une étoile se forme quelquefois, en créant un disque de poussière et de gaz autour d'elle. Ce disque, dans le cas du Soleil, a formé un système de planètes gravitant autour de lui.

Quand et où ?

En septembre, tu peux voir à l'aide de tes jumelles la nébuleuse d'Andromède, entre Persée, Cassiopée et Pégase (cf. p. 178). Elle se présente sous la forme d'une petite tache laiteuse.

181

Les roches et leur passé

Si tu te promènes dans des paysages au relief varié, tu es sûrement en présence d'un grand nombre de roches, très différentes les unes des autres. Elles sont classées en trois familles. Voici quelques repères pour mieux t'y retrouver.

Éruptives ou magmatiques

Ces roches proviennent de l'intérieur de la Terre (du magma) et sont donc formées à très haute température. Elles sont composées de cristaux aux couleurs variées.

Basalte: Roche compacte, de couleur noire à taches vertes.

Granit: Roche très dure, incrustée de petits cristaux. Elle peut être grise, rose, verte, jaune ou bleue.

Obsidienne: Verre naturel.

Olivine: Pierre de couleur vert olive.

Pierre ponce: Pierre volcanique de couleur noire ou gris foncé. Elle a la particularité de flotter sur l'eau.

Quartz: Cristaux translucides, pouvant être colorés (les grains transparents du sable sont du quartz).

Sédimentaires

Au fond des mers et des lacs, des dépôts de vase se sont peu à peu solidifiés. Comme les dépôts se sont empilés, ils ont formé des couches de roches successives que l'on peut dater.

Celle-ci, je l'ai eue sous une couche de vase!

Argile: Roche imperméable, qui peut avoir tous les coloris.

Craie: Calcaire blanc et poudreux.

Grès: Roche composée de grains soudés aux couleurs variées.

Marbre: Calcaire cristallisé très dur composé d'éléments de différentes couleurs.

Sable: Grains isolés de couleur claire. C'est une roche meuble (qui se fragmente facilement).

Silex: Pierre à angles vifs de couleur brune et grise.

Métamorphiques

Ces anciennes roches sédimentaires se sont cristallisées en subissant de fortes pressions et de hautes températures dans les profondeurs de la Terre.

PAF

C'est de la roche dure!

Gneiss: Roche ressemblant au granit, mais rayé de lignes claires (lits). C'est la plus courante des roches métaphoriques.

Micaschiste: Roche constituée de lames très minces, et composée de mica (minéral brillant qui peut être séparé par couches ou lames) et de schiste.

Schiste: Roche argileuse et feuilletée, se présentant sous la forme de fines couches superposées. L'ardoise est un schiste très fin, dont les feuilles se séparent facilement.

Calcaires et cristaux

Toutes les roches ont une particularité. Certaines sont friables, d'autres dures, et elles contiennent ou non des cristaux. Suis ces expériences, tu en sauras davantage sur leur nature.

Reconnaître une roche calcaire

Les roches calcaires sont poreuses car leur texture comporte de très nombreux petits trous. Tu peux reconnaître les calcaires tendres en te servant de ton couteau : ils se rayent facilement. Tu peux même rayer la craie avec ton ongle ! Pour être sûr que la roche que tu soupçonnes être du calcaire en est bien, fais cette expérience :

• Fais tomber quelques gouttes de vinaigre sur ta pierre.

• Si tu entends un bruit faisant « pshtt ! », c'est le signe qu'elle est calcaire (ou au moins, qu'elle en contient).

DE LA PLUS TENDRE À LA PLUS DURE...

Les minéraux sont classés selon une échelle de dureté qui varie de 1 à 10, du plus tendre au plus dur.

1	ex : le talc, la craie	friable
2	ex : le gypse	peut être rayé avec un ongle
3	ex : la calcite	peut être rayé avec une pièce de 5 cents
4	ex : la fluorine	peut être rayé avec du verre
5	ex : l'apatite	peut être rayé avec une lame de canif
6	ex : le feldspath	peut être rayé avec une lime en acier
7	ex : le quartz	raye le verre
8	ex : le topaze	raye le quartz
9	ex : le corindon	raye le topaze
10	Le diamant !	ne peut pas être rayé, mais raye tous les autres...

Cristaux à gogo

Tu connais le cristal dont on fait des verres.
Sais-tu qu'il existe des roches cristallines,
c'est-à-dire constituées de cristaux
visibles à l'œil nu ? Pour comprendre
le processus de cristallisation, qui aboutit
à la formation de cristaux, effectue
l'expérience suivante.

Il te faut

- 2 verres
- 2 baguettes en bois ou 2 crayons
- Du sel
- 1 congélateur

1 Remplis les deux verres d'eau chaude et verse dans chacun du sel jusqu'à saturation (c'est-à-dire jusqu'à ce que l'eau ne puisse plus dissoudre le sel), puis mets une baguette dans chaque verre.

2 Place un des verres dans le congélateur, et le second près d'une source de chaleur.

3 Quand l'eau du premier verre est refroidie, place-le dans un placard.

Attends que l'eau des 2 verres s'évapore (cela prend quelques jours) et observe ce qui s'est passé.

Les deux baguettes sont couvertes de cristaux, mais celle qui était dans l'eau refroidie en a davantage, et de plus gros.

Explication Lorsque l'eau s'évapore, le sel forme des cristaux sur les baguettes. Plus l'eau s'évapore vite, moins les cristaux ont le temps de se former. Les roches provenant des entrailles de la Terre refroidissent plus ou moins vite. Peu de cristaux ont donc le temps de se former dans celles éjectées par la lave, car elles se refroidissent très vite. Mais les roches comme le granit, qui se refroidissent plus lentement, en comptent un grand nombre.

L'érosion

Tu as bien changé !

on vieillit tous !

La forme des montagnes, des collines, du bord de mer et de tout ce qui forme le relief de la Terre change peu à peu. C'est le phénomène de l'érosion qui produit ces changements.

Qu'est-ce que l'érosion ?

La pluie, le vent, la chaleur du Soleil, la foudre agissent continuellement sur la surface terrestre. Toutes ces intempéries usent et transforment peu à peu les sols et les roches : c'est que l'on appelle l'érosion. Les torrents, les rivières, les fleuves et la mer érodent aussi les roches par le mouvement incessant de l'eau. Tu peux observer facilement ce phénomène au bord de la mer. Les vagues cassent des morceaux de falaises, puis entraînent les roches dans la mer qui les roule. Elles deviennent alors des galets, puis se cassent encore jusqu'à devenir de petits grains de pierre : c'est le sable sur lequel tu marches !

PHYSIQUE ET CHIMIE

L'érosion de la surface de la Terre se fait sous l'action de phénomènes physiques, comme l'arrachage des pierres des falaises par la mer, mais aussi sous l'action de l'eau qui dissout les roches calcaires. C'est alors une érosion chimique.
Les trous circulaires, appelés vasques, que tu vois dans les roches calcaires de bord de mer se sont formés de cette façon. Les grottes que tu peux visiter avec tes parents en vacances sont aussi le résultat de cette érosion chimique. Tu y verras des sortes de grandes colonnes pointues, accrochées au plafond et au sol : ce sont respectivement des stalactites et des stalagmites. Comment se sont-elles formées ?
L'eau qui ruisselle dans ces grottes contient beaucoup de calcaire. Elle s'écoule très lentement sur les parois, et chaque goutte dépose un peu de calcaire quand elle tombe. Le dépôt se fait aussi sur la voûte, peu à peu, là où tombent les gouttes.

Geler au point d'éclater

Tu le sais peut-être, les roches humides éclatent sous l'action du feu.
Eh bien, elles peuvent aussi se fendre sous l'effet du gel ! Toutes ces
réactions sont dues à l'eau qui s'infiltre à travers elles. Observe une pierre
en grès : elle est très dure, mais parfois, par l'action du feu ou du gel,
ses couches supérieures s'enlèvent et s'effritent, comme la croûte du pain.
On dit qu'elle « se délite ».
Fais cette expérience pour mieux t'apercevoir du phénomène qui se produit
lorsqu'une pierre éclate sous l'effet du gel.

1 Place un verre d'eau dans le congélateur, après avoir marqué d'un trait
de feutre le niveau de l'eau.

2 Le lendemain, sors ton verre et regarde la marque : elle est bien en
dessous du niveau de l'eau gelée ! La glace prend donc plus de place que
l'eau liquide. C'est ce qui casse les roches quand l'eau s'infiltre dedans.

Quand le vent se fait artiste

Les régions désertiques du monde entier offrent souvent de vraies
raisons de s'émerveiller. Balayées par un vent chargé de sable,
et donc particulièrement érodant, certaines roches semblent ainsi
avoir été sculptées par une main d'artiste.
Parmi les plus beaux paysages, il y a ceux de Monument Valley,
dans la réserve des Indiens Navajos, en Arizona (États-Unis).
Au milieu de grandes étendues désertiques, des pitons de grès
rouge aux étranges silhouettes s'élancent vers le ciel,
pouvant atteindre jusqu'à 600 m de haut
(près de 2 fois la tour Eiffel !)
C'est dans ce décor sublime qu'ont été
tournés de nombreux westerns...

Les volcans

Certains sont éteints depuis longtemps, d'autres crachent encore fumées, feu et torrents de lave. Ces montagnes vivantes te donnent alors une idée de ce qu'est le centre de la Terre.

La formation des volcans

Tu as la possibilité de te promener sur des volcans éteints, comme en Auvergne. Ils offrent une faune et une flore incroyables.

→ Leur formation remonte à des milliers d'années. Elle est en rapport avec les plaques tectoniques qui forment la croûte terrestre.

→ Ces plaques sont en perpétuel mouvement. Lorsque deux plaques se rentrent dedans, ou s'écartent l'une de l'autre, la lave venant du magma (noyau au centre de la Terre) a la possibilité de remonter à la surface. Elle perce donc la croûte terrestre en créant un monticule portant le nom de volcan.

Cratère

Cône

Cheminée centrale

Chambre magmatique

Aussi légère qu'une plume !

Dans les profondeurs de la Terre, la lave brûlante emporte sur son chemin nombre de roches solides. Certaines arrivent à la surface de la Terre, d'autres non. Comment ces grosses pierres arrivent-elles à monter ? Et qu'est-ce qui retient les autres ?

Les roches emportées par la lave sont chauffées et perdent de leur densité. C'est pourquoi elles arrivent à monter jusqu'à la surface. Mais certaines, comme le granit, refroidissent très vite en approchant de la croûte terrestre. Elles s'arrêtent alors en chemin. Elles deviennent visibles lorsqu'un événement naturel, comme l'érosion, dégage le sol qui les recouvre, comme en Bretagne.

Les différentes laves

La texture de la lave dépend de sa température, de la quantité de gaz qu'elle contient et de la composition des roches en fusion qui la constitue.

Plusieurs sortes de laves sortent du volcan. Elles sont soit riches en silice et pâteuses car elles proviennent des couches granitiques ; soit pauvres en silice et fluides, car elles proviennent des couches basaltiques. Remplies de gaz qu'elles emprisonnent, elles donnent des pierres volcaniques très légères comme la pierre ponce.

Cheminée latérale

À chacun son caractère

Volcan paisible ou colérique ?
Certains explosent, d'autres laissent
la lave s'écouler plus calmement.
Réalise les expériences suivantes afin
de comprendre pourquoi il y a de telles
différences.

Il te faut

- 2 coquetiers
- 1 grande assiette
- Du bicarbonate de sodium
- 1 canette de soda
- Du vinaigre
- Du sucre en poudre
- 1 tablier
- Des lunettes de protection

*Avant de te lancer dans ces manipulations, enfile un tablier,
afin de protéger tes vêtements des éventuelles éclaboussures,
et mets des lunettes de protection.*

1 Prends 2 coquetiers et pose-les sur une grande assiette.

2 Remplis le premier avec une cuillerée à café bien rase de bicarbonate
de sodium.

3 Remplis le second avec du soda.

4 Ajoute un tout petit peu de vinaigre dans le premier coquetier et observe
bien ce qui se passe : le vinaigre et le bicarbonate entrent en réaction et
produisent un gaz violent qui éjecte la mousse rapidement hors du coquetier
emportant avec elle du liquide.

5 Ajoute une grosse cuillerée de sucre en poudre dans le second et observe
à nouveau : une mousse crémeuse se forme, monte dans le coquetier
et déborde doucement. La réaction chimique entre le soda et le sucre
est beaucoup moins violente.

Explication Le bicarbonate et le vinaigre, quand ils entrent en contact,
produisent une réaction violente sous la forme d'un gaz volumineux. En revanche,
le sucre et le soda, gazeux, forment une solution épaisse. C'est la même chose pour
les volcans. Du gaz emporte la lave à l'extérieur en explosant si le volcan est bouché ;
en giclant ou en coulant si la lave est épaisse et visqueuse.

La Terre en colère

Il n'est pas rare que les volcans se réveillent. Et parfois, cela fait des milliers de morts...

→ L'éruption la plus célèbre sans doute est celle du **Vésuve** qui a dévasté **Pompéi** le 24 août 79. Dominant la baie de Naples, le Vésuve ne s'était pas réveillé depuis plus de 3 500 ans. Jusqu'à ce jour funeste... En quelques heures, la ville est ensevelie sous une couche de fines particules volcaniques atteignant 6 à 7 m d'épaisseur.

Le même jour, la ville voisine d'**Herculanum** est ensevelie sous 16 m de boue !

Les habitants surpris n'ont pas le temps de s'enfuir, et la plupart meurent par asphyxie. L'éruption et les villes ensevelies tombent alors dans l'oubli pendant plusieurs siècles.

Puis, au XVIIIe siècle, la charrue d'un paysan heurte par hasard des restes d'Herculanum. C'est ainsi qu'à partir de 1763, les chercheurs ont dégagé les restes des cités englouties, faisant surgir du passé les traces presque intactes de la vie quotidienne des riches Romains.

→ Autre éruption célèbre, celle de la **montagne Pelée** en Martinique qui détruit la ville de Saint-Pierre le matin du jeudi 8 mai 1902. La ville compte alors près de 28 000 habitants. Il n'y aura que 2 survivants : un cordonnier et un prisonnier, mis au cachot pour cause d'ivresse. Et c'est aux murs de sa cellule qu'il doit d'avoir la vie sauve !

Les fossiles

Transforme-toi en explorateur pour partir à la recherche des fossiles ! Il te faut du bon matériel, être patient, méticuleux, et savoir bien observer autour de toi.

Un fossile, c'est quoi ?

→ Les fossiles sont des restes d'animaux ou de végétaux ensevelis au cours des âges.
→ Ils font presque tous partie des plantes et animaux marins.
→ Ils ont été conservés dans le sable et la vase au fond des mers.
→ Ensuite, ces mers se sont retirées, et les anciens fonds marins sont devenus des roches dures qui forment le sol sur lequel on marche.

Extraire un fossile

Dégage le fossile de la matière qui l'entoure avec l'outil approprié :
→ Si c'est une pierre calcaire, creuse autour avec ton couteau, et termine à la brosse.
→ Si c'est une pierre dure comme le grès, utilise burin, marteau et lunettes de protection, en donnant de petits coups tout autour du fossile avec beaucoup de précautions.

Il te faut
- 1 burin
- 1 marteau
- 1 brosse
- 1 couteau
- Des lunettes de protection

Le sais-tu ?

Le plus vieux fossile de mammifère a été trouvé dans le Nord-Est de la Chine en 2002. Il s'agit d'un animal à fourrure de la taille d'une souris. Il vivait sur Terre il y a entre 140 et 100 millions d'années. Les scientifiques pensent que ce mammifère grimpait très bien aux arbres et qu'il se nourrissait d'insectes. Ils ont appelé ce mammifère *Eomaia scansoria*.

Je vois un fossile tout au fond !

Où les trouver ?

→ Dans les sols sédimentaires (craie et calcaire, argile, schiste, grès, sable) et les roches calcaires, au pied des falaises, près des rivières, en plaine, mais aussi en montagne. Car les sols, autrefois recouverts par la mer, se sont par endroits plissés, cassés et soulevés au cours des âges de la Terre.

> **CONSEIL**
>
> Pour ton expédition, aide-toi d'une carte géologique du lieu. Elle t'indiquera les types de roches que tu peux rencontrer à la surface du sol. Tu sauras ainsi exactement où chercher des fossiles !

Les fossiles que tu peux trouver

Trilobite : Cet invertébré de l'ère primaire ressemble beaucoup à un cloporte. Son corps est divisé en trois parties.

Ammonite : C'est un mollusque de l'ère secondaire. Sa coquille ressemble à celle d'un escargot.

Cérithe : C'est un mollusque de l'ère tertiaire. Il a une coquille allongée en forme de fine spirale.

Coque : Apparu il y a des millions d'années, ce coquillage existe toujours aujourd'hui, et n'a pas changé de forme.

Corail : Il est constitué de fines colonnes collées les unes aux autres. C'est le squelette de cet animal qui est fossilisé.

Oursin : C'est son enveloppe calcaire que l'on trouve fossilisée, car il a perdu depuis longtemps ses piquants. Cet animal marin vit encore de nos jours.

Les différents âges de la Terre

On appelle « périodes géologiques » les différents âges de la Terre. Voici les principaux. Ils te permettront peut-être de dater les fossiles que tu auras trouvés.

La Terre a plus de 4 milliards d'années. On a divisé les derniers 600 millions d'années en 4 périodes que l'on connaît mieux :

L'ère primaire : Il y a 540 millions d'années, les premiers crustacés et mollusques sont apparus, ainsi que les premières plantes terrestres.

L'ère secondaire : De - 245 millions d'années à - 65 millions d'années, c'était l'époque des dinosaures et des premiers mammifères.

L'ère tertiaire : Elle commence il y a environ 65 millions d'années. Au cours de cette période, les mammifères actuels se sont développés.

L'ère quaternaire : Elle date d'il y a environ 1,6 million d'années. C'est durant cette période que l'homme a évolué.

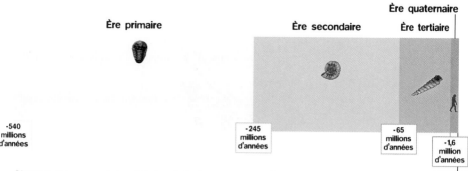

Ère quaternaire

Ère primaire — Ère secondaire — Ère tertiaire

-540 millions d'années

-245 millions d'années

-65 millions d'années

-1,6 million d'années

aujourd'hui

Chaque changement de période géologique est marqué par la disparition ou l'apparition de grands groupes d'organismes.

- Ainsi, l'ère primaire s'achève avec la disparition des trilobites.
- L'ère secondaire s'achève avec la disparition des ammonites et des dinosaures. Les mammifères survivent.
- Les mammifères placentaires (c'est-à-dire les mammifères dont le petit se développe dans le ventre de la mère) apparaissent à l'ère tertiaire, ainsi que les Hominoïdes (qui donneront les grands singes) et les Homininés parmi lesquels se trouve l'ancêtre de l'homme.
- L'ère quaternaire, de loin la plus brève, est marquée par l'apparition des Homo erectus (il y a 1,6 million d'années).

Mon Petit Carnet
d'activités
nature

Mon Petit Carnet d'activités nature

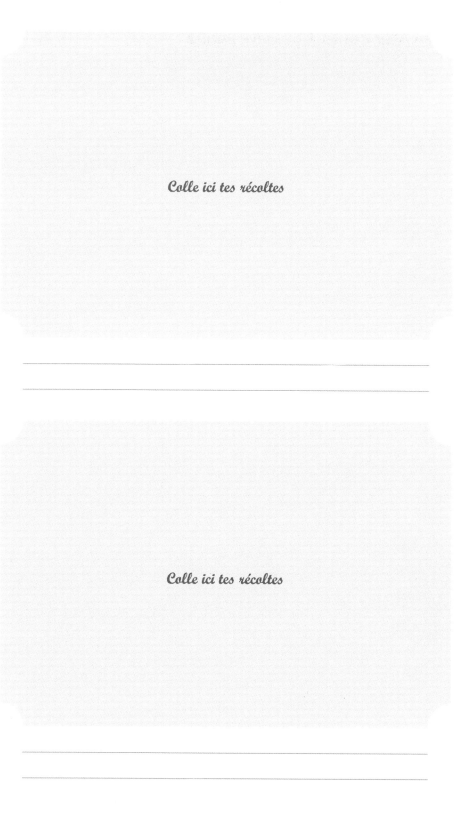

Colle ici tes récoltes

Colle ici tes récoltes

Colle ici tes récoltes

Colle ici tes récoltes

Colle ici tes récoltes

Colle ici tes récoltes

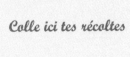

Colle ici tes récoltes

Index